SOMOS MÁS
CRÓNICAS DEL VERANO DEL 19

Silverio Pérez
Pedro Reina Pérez
Ana Teresa Toro

marullo
el podcast

Coordinación editorial: Ágora Cultural Architects
Edición y corrección: María Eugenia Hidalgo
Diseño de portada: Maru Silva
Foto de portada: David Díaz de Four Two Photography
Diseño interior y maquetación: George Riverón
Ilustraciones interiores: Garvin Sierra

ISBN: 978-1-951409-11-1

Dedicatoria

A todas las personas que salieron a la calle a exigir justicia y dignidad, en la isla y en cualquier lugar del mundo donde haya puertorriqueños.

A quienes comparten la certeza de que tenemos país y vamos a reconstruirlo.

A quienes sintieron en el estómago el impulso de movilizarse desde sus distintas trincheras. No olvidemos que el motor de la protesta siempre fue el amor por esta tierra. Nunca fue el miedo.

PEDRO, SILVERIO Y ANA TERESA

Índice

PRÓLOGO
La calle en llamas / 7
Manolo Núñez Negrón

CAPÍTULO 1
942 días / 11
Silverio Pérez

CAPÍTULO 2
Temporal en el pecho / 67
Pedro Reina Pérez

CAPÍTULO 3
Los flamboyanes florecen en verano / 97
Ana Teresa Toro

CONCLUSIÓN
Después del grito / 139

La calle en llamas

Manolo Núñez Negrón

La imagen que ha dado la vuelta al mundo seguirá cautivando nuestra imaginación por décadas. Ante todo, la marea humana que se desplazaba por la autopista Las Américas en alegre, casi festiva, disidencia traía consigo un reclamo nacido, por una parte, del hastío ciudadano, y por la otra, del heroísmo mudo del hombre y la mujer comunes. Por una vez, los puertorriqueños tuvimos al alcance de la mano la concreción de una promesa: la inminencia de una pascua política. No se debe, en justicia, hablar de una revelación colectiva, sino de una inevitable toma de conciencia civil. El fuego de cada día late en el ejercicio de la solidaridad. Lo que antes era un sentimiento difuso ahora es una evidencia tangible: resistir es posible.

A la altura de la avenida Américo Miranda, detenida sobre el puente que cruza en dirección a Río Piedras, una señora protegida por un sombrero de ala ancha contempla el expreso ocupado por el gentío. Lleva también su pancarta y su mochila:

—¿Y de dónde carajo salió esto?— pregunta, turbada.

He ahí una clave para comenzar a descifrar este evento. La experiencia del verano de 2019 conserva para todos sus protagonistas un aire de misterio y fascinación que nos obliga a reconocer que todavía queda mucho por comprender. Quienes se obstinen en diseccionar este acontecimiento utilizando el vocabulario político que lo produjo están destinados, fatalmente, a ignorar el lugar epifánico conquistado por un pueblo que desató sus mejores potencias. ¿Qué anhelos dormidos liberó el debate público generado por una sociedad hastiada de la corrupción, la partidocracia y el engaño?

Silverio Pérez, Pedro Reina Pérez y Ana Teresa Toro, interlocutores cabales del país y testigos de primera fila, esbozan en este libro imprescindible y urgente algunas respuestas e impresiones que testimonian la complejidad y la riqueza de un fenómeno social que se nutre por igual del mito y de la historia. Hermanados por el sacramento del lenguaje, por la alquimia del verbo, por la calle compartida en esos días de julio, traen en sus miradas del acontecer isleño una propuesta ética y estética. Su apuesta es sencilla: que la realidad vivida advenga en parábola para todos.

JUEGO DE TRONOS

©GARVINSIERRA

Juego de tronos, 2019
Garvin Sierra @TallerGráficoPR

CAPÍTULO 1

942 días

Silverio Pérez

1. El jardín hundido

El lunes **13 de marzo de 2017**, desde temprano en la mañana, una muchachada engabanada y jubilosa, junto a estrategas, relacionistas públicos, ayudantes, asesores, asistentes de asesores y asistentes de ayudantes, comunicadores y políticos de piel más curtida en las lides electorales, fue llegando al Palacio de Santa Catalina. Ese castillo de dimensiones isleñas, que desde el 27 de noviembre de 1822 es el hogar de los gobernadores de Puerto Rico, reposa majestuoso al inicio de la calle Fortaleza. Unos salían del Salón del Gabinete, ubicado en el primer piso, tomaban las escaleras de capá prieto que conectan los tres pisos principales y cruzaban por el Salón Azul hasta perderse por la Galería Oriental. Otros se reunían brevemente en el Salón de los Espejos para afinar estrategias y luego aceleraban el paso frente a las obras de Francisco Oller —sin detenerse a admirar el legado del pintor puertorriqueño que formó parte del círculo impresionista en París, junto a Renoir y Monet—. Algunos, pegados a sus teléfonos móviles, emergían de los túneles que conectan los diversos patios de la mansión en actividad febril, eufórica. Poco a poco, cuando los micrófonos estuvieron listos y las cámaras debidamente enfocadas, aquella masa diversa, a la que se habían unido curiosos periodistas, fue gravitando hacia una de las terrazas de la Fortaleza, nombre con que también se conoce la sede donde tiene sus oficinas el primer ejecutivo del país. Hoy es muy poco lo que puede ejecutar el primer ejecutivo, y a la Fortaleza ya no le queda de fuerza.

A la terraza del nivel más bajo del patio de la mansión ejecutiva se le conoce como **el jardín hundido**. Muchas veces las palabras esconden intenciones muy propias, como si jugar quisieran con quien las usa ignorando el determinismo de lo que se enuncia con apasionada intención. Ese "nivel más bajo" fue el escogido por los publicistas del joven gobernador Ricardo Rosselló Nevares, quien a sus 38 años apenas llevaba setenta días como mandatario, para sacar una foto que ellos consideraban histórica. (La imagen resultó serlo, pero no por lo que ellos imaginaban). Luego del momento fotográfico, se haría un anuncio trascendental que marcaría un nuevo comienzo para el país. Estaban seguros de ello.

Otra ceremonia muy particular había ocurrido en ese mismo lugar el **20 de agosto de 2007** a las 5:00 p.m. Aníbal Acevedo Vilá, gobernador de entonces por el Partido Popular Democrático (PPD), junto a la primera dama, Luisa Gándara, y la excandidata a la gobernación por el PPD, Victoria Muñoz Mendoza, anunció que **el jardín hundido** llevaría el nombre de Doña Inés María Mendoza de Muñoz Marín. En 1949, cuando doña Inés llegó a la Fortaleza como primera dama, donde vivió dieciséis años, se enamoró de ese espacio al que catalogó en un artículo en el periódico *El Mundo* como "un remanso de sombras entre aguacates, guineos, mangos, palmeras [...,] jardín umbrío para pasarse el mediodía solazándose en el marullo que bate la muralla, con el olor de algas y sargazos que sube y se mezcla al de alelíes, dama de día y jazmines". En el cuatrienio siguiente al de Acevedo Vilá, el gobernador Luis Fortuño, del Partido Nuevo Progresista (PNP), ordenó quitar la tarja que identificaba el famoso jardín con el nombre de doña Inés.

Volviendo a la foto de Rosselló Nevares, el más reciente gobernante afiliado al PNP, la actividad tenía el propósito de celebrar la certificación de un plan fiscal a diez años diseñado por la Junta de Control Fiscal impuesta en la isla por el Congreso de Estados Unidos mediante la Ley PROMESA para atender los asuntos fiscales del territorio. Dicha ley fue avalada por el presidente Barack Obama el **30 de junio de 2016**. "Hoy demostramos que pasamos de los tiempos de la incoherencia e improvisación a los tiempos de trabajar en equipo y tener resultados por el bien de Puerto Rico. Hoy pasamos del "me vale" y la falta de credibilidad a tener un Plan Fiscal y de desarrollo socioeconómico que cumple con el objetivo de reducción de gasto, pero más importante que ello, que nos permita edificar una mejor sociedad", dijo el gobernador Rosselló Nevares a la prensa, rodeado de los miembros de su gabinete, legisladores y otros funcionarios.

Ese **13 de marzo de 2017** a las 5:00 p.m., en el programa *El azote* del analista pro estadidad Luis Dávila Colón se celebró en grande la hazaña de Ricardo Rosselló, quien antes de ser candidato a gobernador había fungido en algunas ocasiones de comentarista en dicho espacio radial. Dávila Colón tiene la costumbre de comenzar su emisión con un conteo retrospectivo y regresivo de acontecimientos que van desde los días que lleva el país como colonia —primero de España y luego de Estados Unidos— hasta cuánto falta para las próximas elecciones o para las próximas Navidades. Aquel día, el veterano comentarista no dijo, porque ni remotamente se lo imaginaba, que faltaban 179 días para que las ráfagas del huracán Irma destruyeran **el jardín hundido**, 191 días para la llegada del devastador huracán María y 872 para que Ricardo Rosselló se convirtiera en el primer gobernador en la historia de Puerto Rico que renunciaba sin completar su mandato —y menos imaginable aún, presionado por las protestas de un pueblo que gritaba en las calles: ¡Somos más y no tenemos miedo!—. El protagonista de la actividad del **13 de marzo** en **el jardín hundido** solo gobernó 942 días.

¿Qué pasó?

El tiempo, el implacable, el que puede hacer que un compositor le pida al reloj que no marque las horas porque va a enloquecer, es también un dictador que se mete en asuntos políticos y determina de forma incuestionable cuánto falta para elegir un nuevo gobernante y en cuántos días este debe jurar al cargo. Asimismo, el tiempo nos dice que los seres humanos necesitamos de él para madurar, para entender los misterios de la vida, para desarrollar el balance y la sabiduría que debieran tener los que rigen los destinos de los pueblos. El tiempo no fue un aliado del Rosselló Nevares en esta ocasión.

Para entender la cronología de lo que le sucedió, tendríamos que echar una rápida mirada varias décadas atrás, cuando se empezó a cuajar ese Puerto Rico moderno que para el verano de 2019 protagonizó un hecho que atrajo la atención del mundo entero. Ese Puerto Rico moderno tal vez comenzó en 1947, cuando se inició el proceso de industrialización liderado por Teodoro Moscoso, en el cual se priorizó el *crecimiento* económico por sobre el *desarrollo* económico. Salimos de una sociedad agraria y dimos el salto a una economía de enclave, donde un país altamente desarrollado, como Estados Unidos, utiliza su colonia para producir lo que su economía necesita, no necesariamente para suplir las necesidades de esa colonia. Y sin lugar a dudas crecimos económicamente. Durante dos décadas o más fuimos "la vitrina de la democracia y el progreso" que servía de carta de triunfo para Estados Unidos en la era de la Guerra Fría.

Esa vitrina, hechura del Estado Libre Asociado (ELA) y del Partido Popular Democrático, tuvo un cambio de administración en 1969 como resultado del triunfo del Partido Nuevo Progresista y la primera derrota electoral de la colectividad que en 1938 fundó Luis Muñoz Marín. (Luego de cincuenta años de ser posesión de Estados Unidos, en 1948 se le permitió a Puerto Rico elegir su propio gobernador; Muñoz Marín fue ese primer gobernador y se convirtió para muchos en el padre de ese Puerto Rico moderno). La alternancia en el poder entre el PPD y el PNP ha continuado hasta el presente, y ambos son en gran medida responsables de la deuda monumental que llevó al país a la quiebra.

Quizás la semilla de la revuelta que tumbó a Rosselló Nevares se cuajó cuando su padre, Pedro Rosselló González, era gobernador y vio con buenos ojos que el Congreso de Estados Unidos quitara en 1996 los beneficios de las empresas bajo la Sección 936 del Código de Rentas Internas estadounidense, que eran la columna vertebral de la economía de la isla. Puerto Rico cayó entonces en un precipicio fiscal que condujo en junio de 2016 a la imposición de una Junta de Control Fiscal que asegurara la menor pérdida posible a los bonistas del gobierno. Rosselló Nevares sería el primer gobernador bajo el control de esa Junta. Comencemos entonces con su camino contra las manecillas del reloj, que pararían abruptamente su implacable movimiento el **2 de agosto de 2019**.

Mil ciento ochenta y siete días antes, el **2 de mayo de 2016**, se celebró el único debate entre los dos candidatos a la gobernación por el PNP: el licenciado Pedro Pierluisi, comisionado residente en Washington, y el doctor Rosselló Nevares, cuyo padre había gobernado de enero de 1993 a enero de 2001. El ataque del comisionado residente a su oponente durante las dos horas que duró el mano a mano se centró en la falta de madurez del joven, quien había vivido en la burbuja del poder de su padre en el Palacio de Santa Catalina desde los catorce hasta los veintidós años. "Es una inmadurez estar ya ofreciendo [nombramientos] a diversos puestos si gana la gobernación", había dicho Pierluisi. Rosselló Nevares se defendió diciendo: "De qué nos vale la experiencia si es para seguir haciendo lo mismo". Y añadió: "No solo es la experiencia, es quién puede hacer la diferencia". Meses después, refiriéndose a Rosselló Nevares, el exgobernador de Puerto Rico Aníbal Acevedo Vilá acuñaría la siguiente frase: "La experiencia cuenta, la inexperiencia cuesta". Al final del debate, el doctor con especialidad en células madres reclamó ser parte de "la generación que sacaría a la isla de la crisis". En eso tuvo parte de razón. Una nueva generación fue la que tomó el mando para tirarse a la calle y resolver la crisis de gobernanza que se desató en el verano de 2019. Pero fue una generación a la que él no pertenecía.

Ricardo Rosselló ganó la primaria del **5 de junio de 2016** y dijo: "Aspiro a ser el último gobernador de la colonia y el primero de la estadidad". También tuvo cierta razón. Fue el primer gobernador, pero en otra categoría que ya hemos mencionado.

Antes de las elecciones de noviembre de 2016, el segundo Rosselló que aspiraba a la gobernación se reunió en secreto en Nueva York con varios bonistas y les aseguró que la deuda de Puerto Rico, ascendente a $72,000 millones, era pagable y que su Plan de Gobierno lo haría posible. Su campaña se basó en repetir que tenía un plan, y a toda pregunta contestaba con el plan. Hasta que el plan del plan del plan se convirtió en materia para chistes y memes.

Ricardo Rosselló triunfó en las elecciones del martes 8 de noviembre de 2016 con el menor margen en la historia reciente del país. Obtuvo 660,510 votos, para un 42% de los sufragios. El 40% de los 2.7 millones de adultos hábiles para votar no se sintieron atraídos a escoger una vez más entre uno u otro representante del bipartidismo tradicional. Tanto es así que dos candidatos independientes a la gobernación, Alexandra Lúgaro (175,831) y Manuel Cidre (90,494), obtuvieron el 16.8% de los votos. Esta elección marcó una ruptura, tal vez el inicio del quiebre de esa cultura del bipartidismo puertorriqueño.

El joven gobernador comenzó su mandato el **2 de enero de 2017** sin el apoyo explícito de un 75% de los adultos con capacidad para votar.

Las discrepancias entre la Junta de Control Fiscal y el gobernador se exacerbaron de inmediato. Para el **28 de febrero de 2017**, Rosselló Nevares reconocía que quitarle $3,000 millones al presupuesto del gobierno, como proponía la Junta, desplomaría la economía. El tira y jala público entre la Junta y Rosselló Nevares continuó los primeros días de marzo sin que el gobernante permitiera que se hiciera público el famoso plan que había sometido a la Junta donde alegaba que cumplía con los requerimientos del ente fiscal. En reunión pública el **2 de marzo de 2017**, la Junta aprobó con enmiendas el Plan Fiscal del Gobierno, donde se incluía la posibilidad de reducción de la jornada laboral, la eliminación del bono de Navidad, un recorte del 10% a las pensiones, aumentos y retasación de la contribución sobre la propiedad, recortes de $450 millones a la Universidad de Puerto Rico, recortes a la reforma de salud y otras medidas de extrema austeridad.

El profesor Joseph Stiglitz, ganador del Premio Nobel de Economía, dijo en una visita a Puerto Rico que los recortes propuestos causarían más daño a la economía del país, pues "ponen los intereses de los acreedores por encima de los de la economía de la isla y del pueblo". Cabe preguntarse entonces: ¿Qué se celebró el **13 de marzo** en **el jardín hundido**? ¿Cuán reales eran las discrepancias entre Rosselló Nevares y la Junta? ¿Eran de contenido o de forma? ¿Por eso la negativa a hacer público el Plan Fiscal del Gobierno sometido a la Junta?

En abril, cuando se celebraron los primeros 100 días de la gobernación de Rosselló Nevares, la percepción pública, que en política parece ser más importante que la realidad, era que el muchacho tenía buenas intenciones y que estaba más o menos en control. Ese día utilizó su cuenta de Twitter para comunicar: "En 100 días sentamos las bases para un #NuevoGobierno. Credibilidad, ejecución y trabajo en equipo". Luego vería que, en lugar de trabajo en equipo, le costó trabajo mantener su equipo.

Las primeras ronchas en la imagen del gobernador aparecieron en la prensa el **19 de abril de 2017**, cuando derogó la Comisión de la Auditoría de la Deuda creada en el cuatrienio del gobernador Alejandro García Padilla, cuyos miembros Ricardo Rosselló había destituido un mes antes. ¿Por qué no querer saber cuán válida era la deuda que estaba llevando al país a la quiebra? Si echamos una rápida mirada al periodo del 1992 al 2000, cuando gobernó Pedro Rosselló González, y del 2008 al 2012, bajo la administración de

Luis Fortuño, ambos del PNP, encontramos una posible respuesta a por qué Ricardo Rosselló no deseaba saber los detalles de cómo, por qué y quiénes fueron los responsables. En esos doce años de dominio del PNP, Puerto Rico tomó prestado la friolera de $30,509 millones. ¡Casi la mitad del total de la deuda! ¿Los responsables? Personas aún muy cercanas a la nueva administración, dos miembros de la propia Junta de Control Fiscal y otros que ya fungían como asesores de Rosselló Nevares. Las administraciones de Sila María Calderón, Aníbal Acevedo Vilá y Alejandro García Padilla, del Partido Popular, contribuyeron con $29,733 millones al total de la deuda. Eliminar la Comisión de la Auditoría de la Deuda no aminoró el reclamo creciente de amplios sectores del país: había que auditar la deuda antes de hacer recortes que afectaran al pueblo en aras de pagarles a los bonistas.

Tomó apenas del **3 de enero** al **3 de mayo de 2017** para que se evidenciara que el famoso Plan para Puerto Rico de Rosselló Nevares fue simplemente una ilusión. A las 11:32 a.m. de ese día, la Junta de Control Fiscal radicó la petición de quiebra del Estado Libre Asociado bajo el Título III de la Ley PROMESA. Pero algo peor a la quiebra económica empezó a carcomer la administración de Rosselló Nevares. Poco a poco se empezaron a escuchar nombres de amigos cercanos al gobierno y al PNP que aparecían en toda reunión donde se hablara de contratos jugosos; en el Departamento de Estado se registraron compañías poco antes de ser contratadas; y a un sinnúmero de asesores y jefes de agencias se les asignaron salarios que no guardaban relación alguna con la realidad de un país en quiebra. Por los pasillos, túneles y jardines del Palacio de Santa Catalina volvió a pasearse el fantasma de la corrupción que había ya había atormentado a la administración de su padre, Pedro Rosselló González.

Rosselló Nevares les había confesado a personas muy cercanas que una de las razones que lo había animado a aspirar a la gobernación era borrar cualquier vestigio de mancha que, según él, por culpa de la prensa y la oposición política, hubiese quedado en el apellido que orgullosamente ostentaba. ¡Sucio difícil!, diría un comentarista de deportes. Lo cierto es que lo ocurrido durante la gobernación de su padre no tenía precedentes: más de cuarenta de sus funcionarios fueron acusados o convictos por corrupción. El doctorado en células madres de Rosselló Nevares no le fue suficiente para detectar las células madres de la corrupción que ya comenzaban a crecer en varias dependencias gubernamentales: el inversionismo político y el amiguismo volvían a mostrar su fea cara.

Los primeros contratos otorgados por el Departamento de Hacienda a compañías vinculadas con el hijo de Raúl Maldonado, secretario de dicho departamento, se efectuaron en **junio y julio de 2017**. Pero ese asunto, que fue la gasolina que avivó el incendio del verano de 2019, no vino a emerger hasta después de que pasara la temporada de huracanes que puso al país en pausa.

2. La isla azotada

La pequeña isla municipio de Culebra, al este de Puerto Rico, llamada también Isla del Pasaje e Isla de San Ildefonso de Culebra, tiene apenas unas doce millas cuadradas de superficie. En 1939 la Marina de Guerra de Estados Unidos empezó a utilizarla para la práctica de bombardeos. Las luchas de los pescadores por sacar a la Marina de Culebra, apoyadas en su momento por Rubén Berríos Martínez, del Partido Independentista Puertorriqueño, lograron la expulsión del ente militar en 1975.

A las 4 p.m. del **6 de septiembre de 2017**, Culebra comenzó a sentir los vientos de 180 millas por hora del huracán Irma, categoría 5. Los efectos del huracán también se sintieron en la isla grande, como se le llama a Puerto Rico. De inmediato, gran parte del país se quedó sin servicio eléctrico. Curiosamente, **el jardín hundido** de la Fortaleza quedó totalmente destruido. ¿Presagio?

Tan pronto pudo montarse en un avión, Ricardo Rosselló se fue a Washington, DC, y allá informó que los daños por Irma sobrepasaban los $1,000 millones. Además, anunció que el presidente Donald Trump vendría a Puerto Rico. La visible satisfacción con que hizo el anuncio contrastaría luego con la tensa relación que mantendría con el primer mandatario estadounidense en meses subsiguientes. Trump no pudo venir de inmediato a la isla porque otro fenómeno atmosférico se le adelantó.

El huracán María entró por Yabucoa el **20 de septiembre** a las 6:15 a.m., con vientos sostenidos de 155 millas por hora, causando un desastre sin precedente en la historia del país si combinamos el número de muertes, los daños económicos y las consecuencias políticas y sociales que nos trajo.

Para cualquier gobernador con vasta experiencia, manejar dos huracanes de corrido y una Junta de Control Fiscal interfiriendo en todos los asuntos presupuestarios hubiese sido un gran reto. Para un gobernador sin experiencia administrativa alguna, con un equipo igualmente inexperto, la situación auguraba un desastre mayor al causado por los fenómenos atmosféricos. La inmadurez de Rosselló Nevares, vestida de ingenuidad, se evidenció aún más con la visita de Donald Trump a Puerto Rico. El presidente llegó a las 11:41 a.m. del **3 de octubre**, con su aire de emperador, a un país sumido en la incertidumbre, la desesperanza y el dolor, sin agua potable, sistema de comunicaciones o servicio de energía eléctrica. De inmediato predominaron los relacionistas públicos y lo llevaron a un centro comercial en el pueblo de Guaynabo, que no era ni remotamente representativo de las áreas devastadas por el huracán, pero sí un bastión del PNP. Allí, como si se tratara de regalos en una feria y no artículos de primera necesidad, el presidente Trump lanzó al menos cinco rollos de papel toalla hacia un grupo de unas 200 personas en la iglesia evangélica Calvary Chapel, ubicada en el sótano del centro comercial. Esta acción fue tomada como una ofensa por medios locales e internacionales y cadenas de televisión estadounidenses, y la imagen se reprodujo de forma viral en las redes sociales.

En la conferencia de prensa, Trump se quejó de que el desastre del huracán María descuadraría el presupuesto de Estados Unidos, pero minimizó la gravedad de los daños al compararlo con el desastre ocasionado por el huracán Katrina en Luisiana: "Cada muerte es un horror, pero si ven una catástrofe real como Katrina, y ven los cientos y cientos de personas que murieron y ven lo que ocurrió aquí con una tormenta que fue realmente algo que nos superaba, nadie ha visto algo como esto". "¿Cuál es el conteo de muertos hasta el momento?", preguntó el mandatario al gobernador Rosselló Nevares a su derecha. "Dieciséis personas", contestó este. Y eso alimentó más aún el argumento de Trump: "Dieciséis personas fallecieron versus miles. Deben estar muy orgullosos de toda su gente trabajando junta. Dieciséis personas versus miles de personas. Pueden estar muy orgullosos".

Rosselló Nevares aprovechó ese brevísimo momento de gloria para sacarse un *selfie* mientras Trump seguía alardeando de su generosidad hacia nuestro país. Pocas veces la levedad ha sido tan peligrosa en nuestro gobierno. Cuando la horrible verdad sobre las muertes causadas por el huracán María y la ineficiencia de las agencias locales y federales finalmente salió a la luz pública, saltó a la vista un dato macabro: el día que Trump visitó la isla, solo ese día, se registraron en el Registro Demográfico 121 muertos.

Para el **15 de diciembre de 2017**, cuando el gobernador había prometido que estaría restablecido el 95% del servicio eléctrico, el país seguía a oscuras. También a oscuras se hicieron ciertas transacciones que laceraron aún más la administración de Rosselló Nevares. Veamos. Durante la emergencia del huracán, el secretario de Seguridad Pública, Héctor Pesquera, con un salario de $248,000 al año (el cual duplica el salario asignado a la persona a cargo de Home Land Security en Estados Unidos), mandó de vacaciones al director del Negociado de Emergencias. Mientras la gente común hacía filas de hasta ocho horas para echar gasolina, algunos legisladores le echaban combustible a sus autos privados en la Administración de Servicios Generales. Las brigadas de la Autoridad de Energía Eléctrica daban prioridad a los pueblos pertenecientes al partido de gobierno. El Centro de Operaciones de Emergencias, en el Centro de Convenciones Pedro Rosselló, se convirtió en lugar de encuentro de cabilderos y empresarios que buscaban su tajada de la economía del desastre. Y esto solo fue el comienzo del desastre administrativo sin precedentes que se fue develando según pasaban los días.

El **2 de enero de 2018**, el primer aniversario de la juramentación del gobernador Ricardo Rosselló Nevares pasó desapercibido ante la emergencia en que seguía sumida la población. El comienzo de clases encontró el 62% de los planteles sin energía eléctrica. Miles de familias enteras acudían a los aeropuertos para irse a algún lugar en Estados Unidos "donde hubiera luz, agua, gasolina, seguridad y escuelas para sus hijos", según decían al salir.

Curiosamente, el día en que se cumplió un año de la juramentación de Donald Trump, el **20 de enero**, el gobernador decidió firmar una ley que permitiría a los puertorriqueños votar simbólicamente por el presidente de Estados Unidos en las próximas elecciones. Lo cierto es que las elecciones en Puerto Rico, luego de la Ley PROMESA y la Junta de Control Fiscal, se habían convertido en algo puramente simbólico. Quizás al gobernador no le parecía descabellado añadir un acto simbólico más a nuestro ya desprestigiado gobierno propio. El simbolismo, de realizarse, le costaría al pueblo devastado y quebrado de Puerto Rico unos $2 millones. Al día siguiente de esa simbólica firma, la revista *The Economist* auguró que la ya contraída economía del país podría contraerse un 8% adicional. Y eso era real, no simbólico.

Enero finalizó con el discurso de Donald Trump al Congreso, donde solo mencionó a Puerto Rico entre el grupo de estados a los que les deseaba pronta recuperación por los desastres naturales. Al momento de ese discurso, todavía no había llegado ni un centavo de ayuda federal a la isla.

El mes de **febrero de 2018** comenzó con otro regaño de la Junta de Control Fiscal al gobernador porque sus planes fiscales seguían sin cumplir con los de la Ley PROMESA. Rosselló Nevares volvió a demostrar su falta de experiencia como político y dijo que estaba dispuesto a ir a la cárcel por defender el derecho del pueblo a decidir su presupuesto. En respuesta, la Junta se aumentó en $20 millones su presupuesto, que ascendió entonces a $80 millones. Su presidente, José Carrión III, apareció en informes de prensa haciéndole donativos a la campaña de Donald Trump.

En nuestro país ya estamos acostumbrados a que cada cierto tiempo estalla un escándalo que luego se olvida porque estalla otro de proporciones mayores. El del **7 de febrero de 2018** se conoció como el escándalo del "chat del coffee break". Misteriosamente habían caído en manos de Aníbal José Torres, portavoz de la minoría del PPD en el Senado —cuerpo que casualmente presidía Thomas Rivera Schatz, enemigo no declarado del gobernador y de la dirección de la Comisión Estatal de Elecciones (CEE)—, los detalles de una conversación a través de la aplicación WhatsApp entre funcionarios cercanos a la administración del nuevo gobierno, siendo activo participante el juez presidente de la CEE, Rafael Ramos Sáenz. En la CEE, la exsenadora Norma Burgos era la representante del PNP, en contra de los deseos de Thomas Rivera Schatz. De inmediato, el juez Ramos Sáenz tuvo que renunciar a su puesto, pues en sus conversaciones había serias implicaciones de violaciones de ética y de la ley electoral, ya que consultaba sus decisiones con sus amigos del chat. Más adelante, por ese escándalo, correrían igual suerte que el juez altos funcionarios muy cercanos a Rosselló Nevares, quien no logró entender la advertencia premonitoria que aquel suceso encerraba.

En ese mes del amor, no necesariamente fue amor lo que rodeó a la administración de Ricardo Rosselló. Además de Ramos Sáenz, renunciaron o fueron expulsados integrantes de ese equipo del que dijo sentirse orgulloso en sus primeros 100 días: el representante Ramón Luis Díaz, por violencia doméstica; el director de la Administración de Desarrollo Socioeconómico de la Familia, Eric Alfaro Calero, por enviar mensajes vulgares a través de una aplicación de mensajería interna; el director de planificación de la Compañía de Turismo, Saúl Suárez Flores, por decir palabras soeces delante de unas funcionarias cuando discutían el caso de acoso sexual de su jefe, el director de la Compañía de Turismo, José Izquierdo, quien también había renunciado. El mes cerró con la renuncia del director de Servicios Generales, aquel que permitió que los legisladores echaran gasolina gratuitamente durante la emergencia del huracán. La lista de funcionarios renunciantes, a la que el propio gobernador se incorporaría en el verano de 2019, pasaría de sesenta a esa fecha.

Y si de estadísticas hablamos, las que se publicaron sobre el Puerto Rico de los años 2017 y 2018, en los que gobernaba Rosselló Nevares, gritaban verdades inequívocas: las quiebras subieron a 5,424, cifra récord para una década; el 46.1% del país vivía bajo los niveles de pobreza; 1,244,440 personas, o el equivalente al 36.48% de la población, recibían cupones de alimentos; los suicidios aumentaron un 29%; y el Departamento de la Familia aceptaba que no se tenía registro alguno de cuántas personas vivían solas en el país. Ante esa situación, el gobernador decidió algo insólito: privatizar el Instituto de Estadísticas, y de inmediato destituyó a los directivos del Instituto, decisión que una corte revirtió poco después.

El **3 de marzo de 2018** se celebró una convención del PNP en el Centro de Convenciones Pedro Rosselló González. Allí, ante el liderato su partido, Rosselló Nevares, pidió una segunda oportunidad para gobernar. Prometió que en ese segundo turno al bate buscaría la igualdad con los otros ciudadanos estadounidenses, lucharía contra las injusticias, no solo en Puerto Rico sino en cualquier parte del mundo, y reconstruiría a Puerto Rico en todos los aspectos. A esa propuesta la llamó Visión 2020. Quien bautizó esa intentona de ser reelecto en el próximo cuatrienio no pudo haber sido un optómetra, pues falló en un pequeño detalle: se enfocaron tanto en la visión de las elecciones del 2020 que pasaron por alto el verano de 2019.

El **8 de marzo**, la secretaria de Educación, Julia Keleher —con un salario anual mayor que el de la canciller alemana Angela Merkel, el del presidente de Francia, Emmanuel Macron, y el del primer ministro de Japón, Shinzō Abe— salió en la prensa defendiendo un contrato con la compañía Joseph & Edna Johnson Institute of Ethics, contraído por recomendación de la directora de Ética Gubernamental, Zulma Rosario, para enseñar "valores" en las escuelas a un costo de $17 millones, solo en su etapa inicial. El nuevo eslogan que los bien pagados publicistas escogieron para este derroche de dinero fue "Tus valores cuentan". La sabiduría popular de inmediato lo tradujo en "Tus valores cuestan".

Las contrataciones millonarias y los salarios excesivos eran ya algo cotidiano, aunque absurdo, en un país que se había declarado en quiebra. La Oficina de Puerto Rico en Washington, DC, que en ocasiones duplica la labor de la Oficina del Comisionado Residente, tenía contratos con cabilderos que ascendían a $15 millones; el secretario de Estado, William Villafañe, participante del "chat del coffee break", tenía un salario de $168,000, mucho mayor que el de Rex W. Tillerson, secretario de Estado de Estados Unidos.

En marzo, la jueza Taylor Swain, a cargo de los casos de la quiebra de Puerto Rico dentro del Título III de la Ley PROMESA, autorizó, aunque pidió mesura al gobierno de Rosselló Nevares, pagos iniciales de honorarios por $49 millones a los abogados que representaban al Estado Libre Asociado en la corte. Esos gastos legales, más el costo de la Junta de Control Fiscal, se estimaron a octubre de 2019 en sobre $1,000 millones.

Poco a poco la prensa fue develando, precisamente, la poca mesura al momento de contratar servicios, sobre todo en medio del desastre del huracán María. A la empresa Whitefish se le otorgó uno de $300 millones; a Cobra, otro por $200 millones; a Molina Health Care, $188 millones; a Triple S, $185 millones; y la lista de aseguradoras con tajadas millonarias fue larga. Por su parte, la Rama Legislativa informó que en un año gastó la friolera de $50 millones en asesores. ¿No sería más conveniente que en las elecciones, en lugar de elegir legisladores que no parecen saber nada de nada, elijamos asesores de una larga lista que se someta, y así nos economizamos muchos salarios y sus consabidos escándalos?

La Rama Ejecutiva no se quedó atrás, y gastó en su primer año $500 millones en contratos, mientras que los gastos reales de la Oficina de Puerto Rico en Washington saltaron de los $15 millones iniciales a $1,245 millones en su primer año. La cultura del despilfarro de fondos públicos sin ningún recato se hacía más que evidente. Todos esos elementos escandalosos fueron acumulándose y llegaron a su punto de ebullición en el verano de 2019 que nos ocupa.

El **21 de marzo** se reveló que el nuevo director ejecutivo de la Autoridad de Energía Eléctrica (AEE), Walter M. Higgins III, recibiría un sueldo de $450,000 anuales y Brad Dean, director de la Organización de Mercadeo de Destino (DMO), ganaría unos $250,000. Ellos se sumaban a la danza de los millones que ya tenían la secretaria de Educación, Julia Keleher, con $250,000; el director del Departamento de Seguridad Pública (DSP), Héctor Pesquera, con $248,500; la directora ejecutiva de la Junta de Control Fiscal, Natalie Jaresko, con $625,000; Todd Filsinger, asesor de la Autoridad de Energía Eléctrica, con $6 millones, a razón de $842 la hora, y Noel Zamot, coordinador de proyectos críticos, con $350,000, entre otros. ¡Mucho tiempo esperó el pueblo para tirarse a la calle!

El **3 y el 4 de abril de 2018** siguió la disputa pública entre el gobernador y la Junta por el control de los detalles del presupuesto, que ya a muchos les sonaba como las rivalidades entre los técnicos y los rudos de la lucha libre, Carlitos Colón versus El Invader, el bueno contra el malo, puro espectáculo público, pues luego de haber peleado a muerte en un ring rodeado de alambre de púas se iban juntos en el mismo auto de regreso a casa. Ante las quejas de Rosselló II, Carrión III lo tiró al medio y dijo que en principio el gobernador había estado de acuerdo con todas las medidas que ellos habían tomado: recortes a la Universidad y a las pensiones, quitar el bono de Navidad si no aparecía el dinero, aumentar impuestos y otras medidas que ahora criticaba. Cuestionado por la prensa, el gobernador reconoció que en un 90% de las ocasiones estaba de acuerdo con la Junta.

Las conversaciones abiertas de un grupo de allegados al equipo de Ricardo Rosselló en el llamado "chat del coffee break" sentarían la tónica que luego, de forma más cruda, permearía el chat del apocalipsis del joven gobernador. El **8 de abril** salieron detalles de los diálogos electrónicos. Todos se referían a Rosselló Nevares como "el Jefe". Participaba Itza García, subsecretaria de la gobernación, y el juez Ramos Sáenz, en total desprecio de las más mínimas normas éticas, consultaba las resoluciones que emitiría como autoridad suprema de la Comisión Estatal de Elecciones ante controversias planteadas por el Partido Popular. No solo eso, compartía el texto de sus decisiones para que fueran comentadas por sus compañeros progresistas.

Habían transcurrido siete meses de los embates de Irma y María. Pero constantemente ocurrían situaciones que nos recordaban que la crisis seguía presente. El **13 de abril** hubo un apagón en el país que dejó a 870,000 sin electricidad.

El **18 de abril** fue oficial que la Junta de Control Fiscal impusiera su plan fiscal por encima del que el gobernador y la Legislatura habían aprobado. Los poderes otorgados al gobernador y a la Legislatura por la Constitución del ELA quedaban anulados en la práctica por los siete miembros no electos e impuestos por el Congreso estadounidense a través de la Ley PROMESA. Ante esto, un personaje que tomaría un inesperado protagonismo en el verano del 2019 dijo: "La Junta tiene definitivamente el poder de impedir que se aprueben leyes que son inconsistentes con su Plan Fiscal". Ese personaje, que fue gobernador fugaz hasta que el Tribunal Supremo, precisamente basándose en la Constitución, declaró nula su juramentación, responde al nombre de Pedro Pierluisi. El ex comisionado residente ya ha expresado sus intenciones de aspirar a la gobernación en las elecciones de 2020.

Para el **1 de mayo de 2018**, Día Internacional de los Trabajadores, se convocó a un paro nacional para protestar por las medidas de austeridad draconianas de la Junta de Control Fiscal. Miles de personas se dieron cita en la Milla de Oro, donde radican las oficinas del ente fiscal. Hubo discursos, consignas, actos artísticos y, al caer la tarde, pedradas, arrestos, gases lacrimógenos y macanazos. Hato Rey y algunas calles de Río Piedras, hasta donde la policía persiguió estudiantes, parecían un campo de guerra. El gobernador condenó, como ya prácticamente era una costumbre, lo que llamó "los actos violentos de los manifestantes" y mostrando una de las piedras que supuestamente utilizaron algunos jóvenes cuando la policía quiso disolver la protesta, dijo: "Así no se construye el país". La Unión Americana de Libertades Civiles (ACLU) y Amnistía Internacional, que tuvieron observadores en la actividad, cuestionaron el comportamiento de la Policía de Puerto Rico durante la manifestación.

Ese **1 de mayo**, un fervor que estaba ausente se hizo presente. La manifestación fue diversa, masiva y contundente. Por primera vez en muchos años estábamos sintonizados el Día de los Trabajadores más con América Latina y el resto del mundo que con Estados Unidos.

El **2 de mayo** la secretaria de Justicia, Wanda Vázquez, refirió al fiscal especial independiente a un grupo de funcionarios del "chat del coffee break" por actuaciones indebidas y antiéticas, algunas de naturaleza criminal, incluido un referido de la subsecretaria de la gobernación, Itza García, a la fiscalía federal por intimidación y obstrucción de la justicia. Estos referidos desataron una guerra interna de bandos en pugna que coexistían con cierta fragilidad en el entorno del gobernador. Nydia Cotto Vives, la directora de la Oficina del Fiscal Especial Independiente (OFEI) y Zulma Rosario, de la Oficina de Ética Gubernamental (OEG) eran leales al presidente del Senado, Thomas Rivera Schatz, quien públicamente cuestionaba la capacidad de Wanda Vázquez como secretaria de Justicia y había pedido que renunciara a su cargo.

El **3 de mayo**, además de Itza García, también renunció el secretario de la gobernación, William Villafañe. Casualmente, ese mismo día, Héctor O'Neill, poderoso alcalde del PNP en Guaynabo fue llevado ante el panel de la Oficina del Fiscal Especial Independiente por agresión sexual.

A todas estas, y como si la turbulencia de su gobierno fuera poca, Ron Bishop, presidente del Comité de Recursos Naturales estadounidense, con jurisdicción directa sobre los asuntos de Puerto Rico, dijo que apoyaba la estadidad para la isla, PERO solo cuando nuestra economía fuera una suficientemente vibrante. Ese requisito de economía vibrante que establecía Bishop para la estadidad ya se estaba manifestando, pero no en el pueblo, sino en los personeros de la administración de Ricardo Rosselló que compartían una misma ideología económica. Para ellos no había nada de lo público que no fuera privatizable o vendible. Eran guerreros de esa "batalla por el paraíso" luego de los huracanes Irma y María de la que habló la escritora Naomi Klein.

El **9 de mayo** se supo que la Compañía de Fomento Industrial (PRIDCO) incluyó en su catálogo de propiedades para la venta a Cayo Icacos y a Cayo Ratones, además de otros 17 terrenos que ya estaban protegidos como parte de nuestro patrimonio ambiental. Esto desató una ola de críticas de legisladores, ambientalistas y economistas que veían como un disparate la acción del organismo gubernamental. Ricardo Rosselló se vio precisado a desautorizar a PRIDCO.

El **21 de mayo** el gobernador Rosselló Nevares llegó a un acuerdo con la Junta de Control Fiscal para derogar la Ley 80, que protegía a los trabajadores del sector privado de despidos injustificados. Esto lo hizo a cambio de que el ente fiscal le aumentara el presupuesto a la Fortaleza con un fondo de $345 millones que le permitiera entre otras cosas dar el bono de Navidad, medida muy simpática y afín con sus aspiraciones electorales del 2020. Sin debate y a viva voz, la Cámara aprobó la propuesta del gobernador y la Junta, pero con el rechazo de las minorías y tres legisladores del PNP. Dos meses después, el Senado derrotó la medida, provocando la ira de Rosselló Nevares, que acusó a ciertas personas de querer poner piedras en su camino. La prensa interpretó que la crítica estuvo dirigida a Tomás Rivera Schatz.

El **21 de mayo** también se publicó el primer informe del Índice de Desarrollo Humano para Puerto Rico. En resumen, decía que en el renglón de la desigualdad, para el 2013 Puerto Rico era el quinto país más desigual del mundo. El informe establecía que en nuestro país el ingreso del 10% más rico era 33 veces mayor que el del 10% más pobre. También establecía que de 2006 a 2012 los pobres perdieron el 30% de su riqueza, la clase media el 8% y muchos de los ricos se hicieron más ricos. Estimó el informe que bajo los niveles de pobreza había 475,000 niños, que 186,000 mujeres vivían solas y que el 66% de ellas estaba entre los 60 y 90 años. Otro dato impactante resultó ser que el 52% de las féminas ganaran menos de $20,000. La emigración, que ya había alcanzado niveles altísimos antes del huracán, fue un factor principal en la reducción de la población del país a 3,337,177 habitantes. La desigualdad es una realidad que nos hermana con otros países del mundo, en muchos de los cuales, como en Haití y Chile, se desarrollan protestas en los momentos en que escribimos este texto.

Es peor que un huracán esa insensibilidad, la que niega una verdad a esos que hoy ausente están: los que no caminarán de nuevo su tierra amada. Pero hoy en esta explanada la indignación reverdece; simbólicamente crece en invisible pisada. Esta afirmación es en realidad una décima que con otras expresiones artísticas formó parte de una instalación espontánea de pueblo en la plazoleta frente al Capitolio, donde la gente fue colocando pares de zapatos en honor a familiares fallecidos y no reconocidos aún por las autoridades del gobierno. Comenzó el viernes **1 de junio de 2018** y ya el domingo **3 de junio** había sobrepasado los 4,000 pares de zapatos.

Hay zapatos de vecinos, hay zapatos de difuntos, hay zapatos, todos juntos, que recorrieron caminos. Todos somos peregrinos en esta nueva jornada. La ruta ya está marcada: a la mentira un detente. Cada uno está presente en su invisible pisada. La demostración se convirtió en un tema viral en las redes sociales.

De pronto apareció en Facebook una foto de la primera dama Beatriz Rosselló en la instalación, conmovida, de rodillas. La persona que subió la foto se identificó como una corredora que entrenaba ese domingo por la mañana y que casualmente pasó por allí en ese momento. Tardó poco en saberse que todo fue un montaje de relaciones públicas. La joven que puso la foto en las redes fue a su vez fotografiada mientras lo hacía, y tenía identificación de la Fortaleza. La corredora casual era del grupo de relaciones públicas de Carlos Bermúdez, uno de los participantes del otro chat, el que forzó la renuncia de Ricardo Rosselló, donde en la intimidad afirmaban "cogemos de pendejos hasta a los nuestros".

Un ardid publicitario se ha pretendido tejer y a incautos hacer creer que al visitar el santuario se reconoce el calvario que se ha negado hace rato. Pero siempre el mentecato que en el embuste camina, como este, enredao termina, en el cordón de un zapato.

Al segundo día de la demostración, el Registro Demográfico se vio obligado a publicar una contundente estadística: de septiembre a diciembre de 2017 murieron 1,397 personas, más que el promedio durante esos meses el año anterior. Esta información se dio a insistencia de la cadena CNN, que en una entrevista a Ricardo Rosselló lo obligó a comprometerse a proveer los datos que los demógrafos pedían y se les negaban. Luego se reveló que el 68% de los fallecidos fueron personas mayores de 70 años y, de ese total, el 46% eran personas hospitalizadas. Se estableció también un nexo directo entre los decesos y la pobreza. La reacción tardía de la Administración Federal para el Manejo de Emergencias (FEMA) y el Centro de Diálisis, que tardó tres semanas en abrir, fueron en gran medida responsables de estas muertes. Se estima que durante los primeros 20 días posteriores al paso de María murieron 2,320 personas.

El **6 de junio** un juez del Tribunal de Primera Instancia obligó al Registro Demográfico a dar la información sobre los muertos durante la emergencia del huracán María. Héctor Pesquera, secretario de Seguridad Pública, justificó la falta de información sobre los decesos alegando que lo hacían para evitar distintas interpretaciones. El asunto de la falta de información sobre estas muertes llegó hasta el Congreso y la Casa Blanca.

En el escenario político puertorriqueño abundan los personajes tragicómicos. Irrumpió en escena el **7 de junio de 2018** uno de estos a los que ya se les veía el potencial, el talento nato para la tragicomedia. Se trataba del nuevo secretario de la Gobernación, Luis Rivera Marín, quien hizo su entrada triunfal en los escenarios del absurdo político al reaccionar a una información que le trajo un periodista sobre el salario de un asesor del director ejecutivo de la AEE, Walter Higgins, que ganaría $260,000 al año. Rivera Marín exigió indignado que la AEE ajustara dicho salario, y ante las cámaras de televisión se comprometió a dar con el responsable de autorizar el descabellado ingreso. Pocas horas después se descubrió, y así él mismo lo aceptó, que ese salario tuvo el aval de la Fortaleza, y que casualmente fue el mismo Rivera Marín el que lo autorizó. Desconocía el novel actor que en trece meses estaría sometiendo su renuncia, producto de un drama mucho mayor.

El **9 de junio** la prensa descubrió que había 52 cadáveres almacenados en vagones refrigerados en el patio del Instituto de Ciencias Forenses y 307 cadáveres sin haber sido examinados. Es importante que recordemos luego la referencia que a esta noticia se hizo en el llamado "chat de la infamia" y que fue uno de los detonantes de la indignación del pueblo que se volcó en las calles el verano de 2019. Este tema dominó las noticias durante el resto del mes.

Decir que había una relación amor-odio entre Donald Trump y Ricardo Rosselló sería sobreestimar los vínculos entre el presidente de la metrópolis y el menguado administrador de la colonia. Esa extraña relación se hizo más patente el **22 de junio**, cuando hubo un brevísimo encuentro entre ambos en un almuerzo en la Casa Blanca con motivo de una reunión de la Asociación de Gobernadores de Estados Unidos. Trump dijo luego que Rosselló Nevares fue muy hábil al utilizar el huracán María como excusa para arreglar un servicio eléctrico que ya estaba en el piso. Rosselló Nevares aprovechó el encuentro para plantear que muchos de los problemas del país se arreglarían si Estados Unidos convertía a Puerto Rico en el estado 51. Trump no perdió la oportunidad de poner al gobernador en aprietos y de inmediato le contestó con sarcasmo: "¿Y tú me puedes asegurar dos senadores republicanos?". Fue un zarpazo de doble pespunte, pues Rosselló Nevares, quien pertenece al bando demócrata, es el menos indicado para gestionar que Puerto Rico, de ser estado, elija dos senadores republicanos. Además, es harto conocido que los puertorriqueños son mayoritariamente demócratas. En fin, que Trump quiso dejarle saber a Ricardo Rosselló que su petición no iba para ningún lado.

El mes de junio cerró con tres altos funcionarios de la administración Rosselló referidos al Departamento de Justicia por un caso de acoso sexual: Alfonso Orona, asesor legal del gobernador, que luego renunció porque lo detuvieron conduciendo en estado de embriaguez; Christian Sobrino, representante del gobernador en la Junta de Control Fiscal; y José Izquierdo, de la Compañía de Turismo. Los primeros dos no cumplieron con el protocolo establecido para casos de hostigamiento sexual en el trabajo. La secretaria de Justicia, Wanda Vázquez, se lavó las manos del caso, pues según ella no tenía jurisdicción sobre Orona ni Sobrino, ya que eso le correspondía a la Oficina de Ética Gubernamental.

Simultáneamente, la Oficina del Contralor destapó un esquema de fraude que hubo en Vega Baja bajo la incumbencia del alcalde Aníbal Vega Borges, que incluía cotizaciones falsas, pagos por trabajos no realizados y uso de equipo público para otros fines. Vega Borges se desempeñaba ahora como asesor en asuntos administrativos para Thomas Rivera Schatz en el Senado de Puerto Rico. Una semana después, la fiscalía federal acusó a otros dos exfuncionarios de Vega Borges en Vega Baja por actos de corrupción.

Y llegamos al inicio del conteo regresivo de doce meses para los acontecimientos del verano del 2019. **El 4 de julio de 2018** la Junta de Control Fiscal estableció que revisaría todo contrato que sobrepasara los $10 millones. Mientras tanto, en Washington, DC, se festejaba la Independencia de Estados Unidos. Aprovechando la festividad, los miembros de la Comisión de la Igualdad que había nombrado Ricardo Rosselló para hacer gestiones a favor de la anexión de Puerto Rico a Estados Unidos, emitieron un informe que estableció que en los medios de comunicación de la capital federal no se encontraba eco para el reclamo estadista de que en los plebiscitos de 2012 y 2017 la estadidad había ganado por amplio margen. O sea, no eran creíbles los resultados amañados de dicha consulta electoral. El informe lo firmó Pedro Rosselló González, presidente de la Comisión.

Mientras el status seguía siendo el foco de atención principal del liderato estadista, la Universidad de Puerto Rico inauguraba un nuevo presidente. El **5 de julio** comenzó sus funciones Jorge Haddock Acevedo con un salario de $240,000 al año. A pesar de que una certificación de la Junta de Síndicos de 1996-97 establecía el tope del salario del presidente en $105,000, Haddock negoció con la presidente del Comité de Búsqueda y Consulta de la Junta de Gobierno, Zoraida Buxó, ya que como decano de Administración en la Universidad de Massachusetts ganaba un sueldo mayor. Semanas después, Haddock dijo que eran manejables los recortes de la Junta a la UPR. En **febrero de 2017**, en una columna para el periódico *El Nuevo Día*, planteé la interrogante de por qué la Junta de Control Fiscal apuntaba primero su amenazante tijera hacia la UPR.

La Junta sabe que el campus de la UPR es del único lugar en Puerto Rico de donde puede surgir una oposición fuerte y militante a sus designios. El país está adormecido por los continuos golpes del neoliberalismo y ha perdido, como un boxeador a punto del nocaut, la capacidad de reaccionar. El Partido Popular está decidiendo quién va a dirigir lo que podría ser la última batalla del ELA y la aniquilación de la UPR no parece estar en su lista de prioridades en este momento.

La JCF sabe que, como decían en el campo, camino malo se pasa ligero. Si le meten mano a la UPR y se salen con la suya, lo otro es pan comido. En el caso del ataque a la UPR van a tener el apoyo incondicional del gobierno de turno y su militancia partidista, ya que siempre han mirado la UPR como este nido de pelús revoltosos de los que no suelen salir muchos militantes estadistas. En el caso de la UPR, la mejor ayuda que puede darle el gobierno de Ricardo Rosselló a la Junta es lo que ya ha hecho: lavarse las manos.

El **14 de julio de 2018** la juez Laura Taylor Swain resolvió que los poderes plenarios del Congreso de Estados Unidos sobre Puerto Rico permiten al Legislativo federal declarar la Junta de Control Fiscal como una entidad territorial y designar a sus miembros sin que tengan que cumplir con la cláusula de nombramientos de la Constitución estadounidense. Este nuevo clavo en el ataúd del gobierno propio que se suponía fuera el Estado Libre Asociado fue apelado al circuito de Boston, donde se revocó a la juez Taylor Swain, creándose una crisis respecto a la legalidad de la Junta y las acciones que ya había tomado. El caso llegó hasta el Tribunal Supremo de Estados Unidos, que a su vez sostuvo la previa decisión de Taylor Swain. Una vez más, nuestro destino como pueblo lo decidía un tribunal estadounidense.

El **15 de julio** asumió el cargo de director y principal oficial ejecutivo de la AEE Rafael Díaz Granados, con un salario de $750,000 al año y un paquete de beneficios que podía extender lo que ya ganaba un 60% adicional. Granados sustituía a Walter Higgins, quien renunció de forma inesperada luego de solo 4 meses en el puesto donde devengaba $450,000 al año. El escandaloso salario del nuevo ejecutivo provocó una oleada de críticas en el país y un descabezamiento masivo en la dirección de la AEE. Cinco de los integrantes de la Junta de Directores presentaron su renuncia de inmediato. Para lograr quorum, el gobernador tuvo que nombrar de emergencia a tres nuevos miembros y exigió que se atemperara el salario de Díaz Granados. Este se negó a atemperarse, y renunció. Hasta el Congreso de Estados Unidos llegó la información de la debacle que estaba ocurriendo en la dirección de la AEE y algunos congresistas comenzaron gestiones para tomar control del ente público y privatizarlo.

El **18 de julio** José Ortiz se convirtió en el quinto director ejecutivo de la AEE en tan solo 18 meses, lo cual demostraba la terrible inestabilidad de la administración de Ricardo Rosselló, reflejada ahora en el activo más importante de su gobierno, la Autoridad de Energía Eléctrica. Para que tengamos una idea del quita y pon de directores ejecutivos ocurrido bajo su administración, aquí está la lista: Ricardo Ramos dirigió la AEE del 3 de marzo de 2017 al 17 de septiembre de 2017; Justo González, desde que renunció Ramos hasta el 21 de marzo de 2018; Walter Higgins, desde que renunció González hasta el 11 de julio de 2018; y Rafael Díaz Granados comenzó el 11 de julio y renunció al otro día. José Ortiz tendría un salario de $250,000.

El **20 de julio** se dio a conocer que el gobernador había mandado a preparar una guagua blindada a un costo de $245,000 para su uso. Cuando el asunto se hizo público la presión de la opinión pública lo hizo tomar la decisión de pasársela a la Policía. Trescientos setenta días después, la presión pública en su contra alcanzaría niveles tan inimaginables que lo llevaría a tomar una decisión mucho más dramática que desprenderse del costoso juguete: renunciar a gobernación.

3. El gabinete podrido

El hedor a madera carcomida por la polilla abofeteaba a todo aquel que con un mínimo de raciocinio entrara a una reunión en el Salón del Gabinete del Palacio de Santa Catalina. En la prensa, desde diversos sectores políticos, incluido el del propio Partido Nuevo Progresista, se apuntaba a la carencia de canas, entiéndase madurez, experiencia, sabiduría, de los funcionarios que rodeaban al gobernador como el talón de Aquiles de la nueva administración. Ricardo Rosselló Nevares tomó entonces la decisión de realizar unos cambios en su gabinete que, exactamente un año después, lo podrían en la antesala de su salida de la gobernación y del país.

El **1 de agosto de 2018** Raúl Maldonado salió del Departamento de Hacienda y fue a llenar el vacío de un hombre con canas en la Secretaría de la gobernación. Sería, además, el principal oficial financiero del país. Teresita Fuentes, que gozaba de mucho prestigio entre los miembros de su profesión y al momento era asesora en Hacienda, pasó a la Secretaría de la agencia. Ricardo Llerandi fue nombrado subsecretario de la gobernación además de jefe de Comercio y Exportación. "Esto es un juego diferente", dijo el gobernador al dar a conocer los nombramientos, sin conocer cómo a veces las palabras asumen un rol premonitorio.

Pero, por más que se quiera, en la colonia hay cosas que no cambian. El **8 de agosto** el tribunal de quiebras en que se había convertido la sala de la juez Taylor Swain avaló nuevamente el poder de la Junta de Control Fiscal y desinfló la metáfora de Rosselló Nevares de que la Junta determinaba el tamaño del cuarto, pero el gobernador decoraba la habitación a su antojo. De la decisión final de la juez podríamos concluir que la Junta podía no solo controlar el tamaño del cuarto, sino también la compra de los muebles y el estilo y el color que le pareciera, los podía acomodar a su antojo y si el gobernador quería entrar al metafórico cuarto tenía que pedir permiso, inclusive para sentarse en el sofá. Aquel grito de Ricardo Rosselló de que estaba dispuesto a ir preso por defender su política pública pasó a ser de esas palabras que el viento se llevó. La reacción del juez puertorriqueño del Primer Circuito de Boston, Juan Torruellas, fue la siguiente: "La Ley Promesa representa el acto más denigrante, antidemocrático y colonial que se haya visto, además de ser un golpe de estado a la democracia en Puerto Rico. Permítanme sugerir organizar un movimiento de resistencia civil". Y un año después, un movimiento de resistencia civil sorprendió hasta al mismo juez.

Pero no solo en el PNP había preocupaciones por el rumbo que parecía erráticamente tomar el liderato del gobierno de su partido además de los continuos choques con la Junta. También en el PPD se cocían habas. El **12 de agosto** el fuego popular tomó proporciones de incendio cuando se dio a conocer que tanto el exsenador Roberto Prats como Héctor Ferrer, presidente del partido, trabajaban asuntos legales para la firma DCI Group, que realizó una agresiva campaña contra la administración de Alejandro García Padilla para que les pagara a los acreedores de la deuda pública. Esto provocó una reunión de emergencia de la Junta de Gobierno del Partido Popular donde Carmen Yulín pidió que Héctor Ferrer renunciara a la presidencia del PPD. Aníbal Acevedo Vilá se unió a los reclamos y pidió una limpieza profunda en la casa popular. En los debates entre populares de diversos bandos salió a relucir que Ónix Maldonado, cabildero que asistía a Héctor Ferrer en las finanzas del PPD, también era un donante activo del PNP.

Cerca del **15 de agosto** se dio a conocer que Ricardo Rosselló, al no tener el aval de la Legislatura, había decretado por orden ejecutiva un salario mínimo de $15 la hora para el sector de la construcción. De inmediato se supo que el sindicato que abogó por esa acción tenía de cabildero a Elías Sánchez.

Elías Sánchez Sifonte era el amigo más íntimo y de mayor influencia en el círculo cercano al gobernador. Ambos fueron padrinos de sus respectivas bodas. Además, en 2012 Elías Sánchez se convirtió en empleador de Ricardo Rosselló a través de la empresa Veritas Company, que tenía contratos con el Senado de Puerto Rico. Rosselló Nevares luego lo nombró director de su campaña política, posteriormente dirigió el comité de transición de la gobernación y, por último, fue representante del Gobierno ante la Junta de Control Fiscal.

Para el **22 de agosto de 2018** el estudio de la Universidad George Washington dejó finalmente en 2,975 las muertes ocurridas durante la emergencia del huracán. Un estudio preliminar de la Universidad de Harvard había estimado inicialmente en 4,645 los muertos debido al paso de María. El **mes de agosto** finalizó con la noticia de que la Arquidiócesis de San Juan radicó su insolvencia en la corte de quiebra. En un espectáculo titulado *Y la Junta los junta*, de la tropa satírica Los Rayos Gamma, uno de sus integrantes comentó: "Cuando en un país hasta la Iglesia católica se va a la quiebra ese país está bien jodido".

El **mes de septiembre de 2018** comenzó muy movido. Carrión III le dijo a Rosselló II que tenía que escoger entre dar el bono de Navidad y la nómina de los empleados públicos. La Fortaleza llamó de inmediato a la compañía de comunicaciones y relaciones públicas KOI, de Edwin Miranda, que a estas alturas del año acumulaba ya $30 millones en contratos, para contraatacar con troles (del noruego *troll*, persona con identidad desconocida que usa las redes para arremeter contra los que no piensan como aquel a quien sirve el que los contrata). A nivel personal tengo los nombres ficticios de más de 200 troles que en diversas ocasiones me han atacado en Twitter cuando hago algún comentario que no es del agrado de la grey azul. Hay troles rojos en menor cuantía, y por lo general son voluntarios, no pagados, pues al no estar el PPD en el poder, no hay dinero para financiarlos.

Del **10 al 20 de septiembre**, cuando se cumpliría un año del paso de los huracanes Irma y María, las ráfagas de la ineficiencia seguían azotando al gobierno. La propia Autoridad de Acueductos y Alcantarillados dio a conocer que en el defectuoso sistema de distribución de agua se pierde casi el 50% de la producción.

En otras noticias se anunció la privatización del sistema de muelles del país, con lo cual se entregaría a entidades privadas el control de ese servicio crítico, sobre todo en una isla.

Abel Nazario, uno de los alcaldes más conocidos del PNP, ahora senador, fue acusado con 39 casos de fraude con fondos federales.

Y culminó el preludio al aniversario de María con un escándalo mayúsculo: el hallazgo de 20,833 paletas de agua embotellada que FEMA ubicó al sol, en el aeropuerto de Ceiba, porque la Administración de Servicios Generales, luego de pedirlas a un costo de sobre $22 millones, dijo que ya no las necesitaba, aun cuando había miles de personas sin acceso a agua potable. Algunos comentaristas radiales aseguraron que se evitó repartir el agua para favorecer a ciertas compañías que vendían agua en grandes cantidades a los supermercados. La contralora de Puerto Rico, Yesmín Valdivieso, dijo que no investigaría ese asunto de las paletas de agua ni el de los vagones desaparecidos de las instalaciones de la CEE. Recordemos que la Oficina del Contralor exoneró a la AEE de irregularidad alguna por la contratación de la compañía Whitefish, de Montana, con solo dos empleados activos, para reparar el tendido eléctrico luego de la emergencia del huracán María a un costo de $300 millones.

El **20 de septiembre**, en el aniversario de la tragedia del huracán María, volvió a escena Luis Rivera Marín. Se fue a dar entrevistas en Estados Unidos, donde culpaba a FEMA del desastre post huracán y exoneraba a Donald Trump de las irregularidades ocurridas en Puerto Rico durante la emergencia. Frente a Rivera Marín, en una conferencia de prensa, Trump dijo que las 2,975 muertes atribuidas al huracán eran pura invención de los demócratas. Rivera Marín hizo mutis. Pocos días después se le vio haciendo campaña en la Florida con el candidato al senado Rick Scott, quien había sido gobernador de ese estado.

El **24 de septiembre** Puerto Rico salió ubicado en el índice GINI de inequidad entre ricos y pobres como el tercer país más desigual del mundo. Los hogares con menos ingresos reciben, según el informe, cinco veces menos dinero que los que tienen más recursos económicos. El 54% más pobre recibe apenas el 20% del total de ingresos familiares. El 26% más rico obtiene el 60% de los ingresos que se reparten en el país. Cuando publiqué ese informe en mis redes sociales, una persona me escribió diciendo que no entendía eso de los porcentajes entre ricos y pobres. Le contesté que esas estadísticas eran parecidas al siguiente ejemplo: si vamos diez personas a una pizzería y pedimos la pizza más grande dividida en diez pedazos, a los seis más pobres le tocarían solo dos pedazos, mientras que los dos más ricos se comerían seis pedazos. Los dos pedazos restantes se los comerían dos, que no experimentarían la desigualdad que afectó a los seis. La persona me contestó con el símbolo del dedo pulgar hacia arriba.

Y hablando de ricos y pobres, el **8 de octubre de 2018** se dio a conocer que muchos de los ricos que se benefician de la Ley 20-22, que les permite vivir en Puerto Rico sin pagar contribuciones, se fueron de la isla durante el año posterior a los huracanes Irma y María. ¿Alguien esperaba otra cosa?

El **16 de octubre** Ricardo Rosselló le hizo una petición pública a Bad Bunny, figura del género musical trap, para que abriera una tercera función de su concierto en el Coliseo José Miguel Agrelot, a lo que el trapero no contestó. Curiosamente, 279 días después, fue Bad Bunny quien le hizo una petición a Rosselló Nevares: que renunciara a la gobernación.

El **23 de octubre**, Natalie Jaresko, directora ejecutiva de la Junta de Control Fiscal, dijo que en Puerto Rico no hay voluntad política para asegurar un crecimiento económico sostenible. También se supo que la Junta pagó $6.7 millones a una firma para un estudio —que se pudo haber hecho en la UPR— sobre el colapso fiscal del país. El ente fiscal terminó aprobando un nuevo Plan Fiscal sin ese futuro sostenible del que hablaba Jaresko y quitándole fondos a la UPR, que es la única institución pública donde se cuece nuestro futuro. Ricardo Rosselló amenazó, una vez más, con retar el Plan Fiscal aprobado.

En la medida en que nos acercábamos a la festividad de Halloween, las historias de horror administrativo siguieron siendo noticia, sin que se notara mejoría alguna en el apolillado gabinete. El Departamento de Hacienda informó que en los 6 años anteriores dio $25,000 millones, sí, leyó bien, 25 *billions* de dólares, en créditos tributarios a corporaciones exentas, sin seguimiento ni análisis adecuado sobre el efecto que ese millonario regalo tenía en el bienestar económico de la isla. Ese dinero en créditos contributivos que el fisco dejó de obtener es una cantidad equivalente al 35% de la deuda que nos llevó a la quiebra. La organización Espacios Abiertos pidió hacer públicos esos acuerdos de créditos contributivos y tratos preferenciales. Pero el gobierno de la transparencia que prometió Ricardo Rosselló en la campaña se negó a hacerlo. Luego un tribunal le ordenó que lo hiciera. Se descubrió que ya, en solo siete meses, se habían otorgado $521 millones en otros créditos contributivos. La Junta pidió evaluar esas transacciones.

El **1 de noviembre de 2018** la Oficina del Fiscal Especial Independiente radicó 39 cargos por violaciones cometidas en el "chat del coffee break" al juez Ramos Sáenz.

El **2 de noviembre** Ética Gubernamental dijo que investigaría el uso del helicóptero de FURA para la transportación de civiles en relación con la Oficina de la Primera Dama. Se dijo que este arreglo sucedió porque a Beatriz Rosselló no le gustaba que la secretaria de prensa u otras asistentes del sexo femenino viajaran en el mismo helicóptero que su marido.

El **5 de noviembre** se dieron a conocer algunas estadísticas sobre la criminalidad en la isla: ocurría un asesinato cada catorce horas. Mientras la tasa de homicidios por cada 100,000 habitantes en Estados Unidos era de 5.3, en Puerto Rico ascendía a 20.34 en 2017.

El **8 de noviembre** se cumplieron dos años del triunfo de Ricardo Rosselló Nevares en las elecciones. Se daba por hecho que sería el único aspirante a la gobernación por el PNP en el 2020 y muchos analistas lo daban por seguro ganador.

Ese día, 8 de noviembre, sin vistas públicas, sin debate, sin atender reclamos de la ciudadanía, la Cámara de Representantes aprobó el proyecto avalado por el gobernador para renegociar la deuda de la Corporación del Fondo de Interés Apremiante (COFINA) con sus acreedores. Se estima que el acuerdo compromete el país en el pago de esa porción de la deuda por los próximos 40 años. El Senado hizo exactamente lo mismo que la Cámara. "Regalo de Navidad para los buitres", dijo el senador independiente José Vargas Vidot sobre la aprobación de este acuerdo.

Mientras, el expresidente de la Junta de Gobierno de la UPR, Walter Alomar, obtuvo un contrato de $5 millones con el gobierno central a través de una compañía sobre la cual no había rendido informes de ética. El secretario de Hacienda, Raúl Maldonado, había aprobado dicho contrato.

El **10 de noviembre** la alcaldesa de San Juan, Carmen Yulín, se opuso a un acuerdo entre alcaldes del PPD y el PNP para apoyar un proyecto que les permitiría aumentarse las pensiones. Junto con la noticia aparecieron unos datos muy reveladores: hay 42 alcaldes que ganan más que el gobernador, y por ejemplo, el de Adjuntas, Jaime Barlucea, gana 1,112% más que el promedio de ingresos de las personas de su pueblo. La alcaldesa de Canóvanas, Lorna Soto —quien quiso dar a un parque para niños el nombre de Ángel Luis Pérez Casillas, director de la División de Inteligencia de la Policía cuando se tramó y realizó la ejecución de dos estudiantes en el Cerro Maravilla—, gana por sus ejecutorias $104,000 al año. También se supo que varios alcaldes presos por corrupción siguen disfrutando de sus robustas pensiones.

El **15 de noviembre** salió la encuesta del periódico *El Nuevo Día* en la cual ya solo el 31% le daba notas de A o B al gobernador. El 67% le daba desde C hasta F y el 43% dijo que había actuado peor de lo esperado. Solo el 51% de su propio partido aprobaba su gestión. Ya a esta altura, el 52% de los encuestados estaba en contra de la Junta de Control Fiscal. Los datos de la encuesta no pintaban un panorama positivo para el bipartidismo: la base del PNP se había encogido a un 36%, un 9% más de reducción que en la encuesta anterior, y con el PPD solo se identificaba el 24% de los entrevistados, una base 12% menor que la del PNP. Un 36% de los encuestados dijo no simpatizar con ninguno de los dos partidos tradicionales.

Noviembre terminó con más protestas frente a la Fortaleza por el aumento de la violencia de género. Luego de veinte horas de protestas ininterrumpidas, una asesora de Fortaleza se reunió con el liderato feminista. El gobernador jamás las recibió.

El **4 de diciembre de 2018** la Junta de Planificación estimó el impacto neto de los huracanes Irma y María en la economía de Puerto Rico en unos $43,135 millones. También se calculó que en 2017 se mudaron 97,000 personas a Estados Unidos.

El **6 de diciembre** se siguieron añadiendo razones para las protestas del verano de 2019. Un reglamento nuevo del Departamento de Recursos Naturales y Ambientales (DRNA), que dirigía la licenciada Tania Vázquez, permitiría el depósito de hasta 12,400 toneladas de cenizas sin avisar al público. ¡Increíble pero cierto! Considerando que 12,400 toneladas son 24,800,000 libras, esto sería suficiente para tapar el edificio del Banco Popular y otros adyacentes en la Milla de Oro. Obviamente allí nunca se van a depositar cenizas. El polvo, como siempre, se lo echan a los pobres, quienes además de los del Sahara también tendrían que bregar con los polvos de AES. Muchos de esos pobres se tirarían a la calle a protestar en el verano que ya estaba a la distancia de solo seis meses en el calendario.

La licenciada Tania Vázquez se vería forzada a renunciar el 31 de octubre de 2019, día de las brujas y los fantasmas, cuando salió a la luz otro escándalo mayúsculo. Se le atribuía a esta dirigente del DRNA y presidenta la Junta de Calidad Ambiental (JCA) haber permitido que el superintendente del Capitolio, José Jerón Muñiz Lasalle, influyera en contrataciones y otros aspectos decisionales en ambas agencias. También se reveló que Vázquez fue abogada de Muñiz Lasalle en 2016 y nombró como administrador de la JCA a Alex Muñiz Lasalle, hermano del superintendente. Además, allegados de este y personas relacionadas con sus corporaciones obtuvieron contrataciones en el DRNA y la JCA. Era el mismo diseño de contrataciones que con otros nombres y otras compañías se seguía repitiendo en todas las esferas del gobierno de Rosselló Nevares.

El año siguió languideciendo, el gabinete deteriorándose y el paso del tiempo acelerándose hacia ese inevitable verano del 2019.

4. 2019

El **2 de enero de 2019**, a dos años de su juramentación, Ricardo Rosselló Nevares hizo la siguiente reafirmación en alusión a la Junta de Control Fiscal: "Nosotros hemos estado de acuerdo en el 95% de las cosas". Como decía el personaje Chapulín Colorado: ¡Lo sospeché desde un principio!

El **5 de enero**, víspera de la festividad de la Epifanía, Jennifer González pidió de regalo a los Tres Reyes Magos que se le concedieran la estadidad a Puerto Rico, y sometió un nuevo proyecto al Congreso. Al momento de redactar esta cronología, a finales de octubre de 2019, como decía el título de aquella canción que cantaba Felipe Rodríguez "La Voz": Los Reyes no llegaron. Mientras, Rosselló Nevares repartió cajitas con yerba acompañado del rapero Ozuna.

Lo que los Reyes no les trajeron a los niños puertorriqueños a través de la secretaria de Educación, Julia Keleher, fue un mejor futuro. El **8 de enero** Keleher anuncia que el curso escolar comenzará con 5,000 niños menos. Mientras la secretaria emite esta declaración, un grupo de alcaldes reunidos con el gobernador le piden acción urgente ante el incremento en la criminalidad. Piden, además, la renuncia de Héctor Pesquera, secretario del Departamento del Seguridad. Las renuncias tanto de Keleher como de Pesquera se dieron de forma simultánea, tres meses después.

El **11 de enero**, Bad Bunny y René Pérez "Residente", que andaban jangueando por el Viejo San Juan, tuvieron una misteriosa reunión con el gobernador a altas horas de la madrugada. Se alega que los dos exponentes del género urbano le plantearon la necesidad de atender a líderes feministas que reclamaban decretar un estado de emergencia ante la violencia machista. Estos dos conocidos artistas liderarían en el mes de julio las convocatorias a las protestas callejeras que culminarían con la salida de Rosselló Nevares. Ajeno a ese devenir histórico, esa madrugada que los recibió en Fortaleza, el Ricky que seguía habitando en él se sacó *selfies* con ellos, como cualquier fanático común.

El **15 de enero**, el economista Martín Guzman dijo que aunque el acuerdo con los bonistas de COFINA reducía un 32% del principal de los $17,600 millones de deuda, los intereses llevarán al país a pagar $32,300 millones en 40 años. Como apuntamos en esta cronología, ese acuerdo se aprobó en la Legislatura en noviembre de 2018 sin vistas públicas ni debate. Rosselló Nevares defendió el acuerdo.

El 15 de enero también se dio a conocer que la auditoría de la propia Junta de Control Fiscal propuso que se anularan $6,000 millones de deuda en bonos de Obligaciones Generales emitidos desde 2012. "Esa deuda es nula, inválida, pues se incurrió en violaciones al excederse el margen de servicio a la deuda establecido por la Constitución", declaró la Junta en un comunicado. El exgobernador Luis Fortuño defendió lo que tanto él como el exgobernador Alejandro García Padilla hicieron al tomar prestado en exceso de lo establecido por la Constitución.

El **18 de enero** Donald Trump le puso freno a la ayuda de $6,000 millones a Puerto Rico a través de la Oficina de Presupuesto y Gerencia de la Casa Blanca.

El **22 de enero** Ricardo Rosselló vetó el proyecto de una nueva ley de educación especial. El veto indignó a miles de padres de niños que necesitan educación especial, a los cuales se les han estado recortando sus ya menguadas ayudas y facilidades. Pero la ley de incentivos a los millonarios que se mudan a Puerto Rico sin pagar contribuciones siguió vigente.

El **28 de enero** es una de las fechas más importantes en esta cronología que nos lleva a los acontecimientos del verano de 2019, pues, a mi entender, provoca el inicio del efecto dominó que a la larga culminaría con la renuncia del gobernador Rosselló Nevares. Ese día se hizo pública la renuncia de Teresita Fuentes a la secretaría de Hacienda y una carta que esta le envió al primer mandatario donde dejaba establecido que tenía serias diferencias con los ideales de política pública de la presente administración. El subsecretario de Hacienda, Juan Carlos Puig, también sometió su renuncia. Aunque Fuentes nunca lo expresó públicamente, se rumoró que tanto los contratos del hijo de Raúl Maldonado como otras contrataciones en Hacienda que venían impuestas desde Fortaleza la llevaron a renunciar. La reacción de Rosselló Nevares a la caída de una de la cuatro patas que sostenía su apolillado gabinete fue dar más poder a Raúl Maldonado. Lo reasignó a Hacienda mientras continuaba como secretario de la gobernación y también como director de la Oficina de Gerencia y Presupuesto.

El **30 de enero** aparecieron en la prensa las contrataciones sospechosas de varias empresas con el Departamento de Hacienda, entre ellas Optima Consulting Group y Virtus Consulting Group, vinculadas con Rauli, el hijo de Raúl Maldonado a quien ya el FBI le había puesto el ojo por su vinculación con OPG Technology, que también daba servicios en Hacienda. La portavoz del sector fundamentalista religioso en la Cámara de Representantes, María Milagros Charbonier, defendió las contrataciones diciendo que no se podía castigar a hijos talentosos de funcionarios de gobierno y políticos negándoles contratos. Rauli demostraría, allá para el **21 de junio de 2019**, que también tenía talento para hacer expresiones públicas que pusieran en aprietos al gobernador y a toda la plana mayor del PNP.

El **1 de febrero de 2019** dio inicio el mes con primeras planas en los periódicos del país sobre el fraude millonario en el Departamento de Hacienda por parte de la compañía OPG Technology, la cual había sido contratada por Raúl Maldonado. Orlin Goble, ejecutivo de la compañía, había decidido cooperar con el FBI respecto al manejo de máquinas de expedición de sellos y comprobantes, una de las actividades más importantes de Hacienda. Se hablaba de fraude en la expedición de esos sellos. Se comenzó a especular que fue esta una de las razones por las cuales renunció Teresita Fuentes. Las firmas ligadas al hijo de Raúl Maldonado tenían ya un alto volumen de facturación: $2.85 millones en un contrato y $632,000 en otro. Este escándalo dominaría las noticias en los días subsiguientes.

El estado de putrefacción del gabinete del gobernador quedó al descubierto el **3 de febrero** cuando salió publicada la lista de renuncias en su administración: en solo dos años, treinta y ocho funcionarios entre jefes de agencias, corporaciones públicas y oficinas adscritas a Fortaleza, sin contar los directores interinos que también habían renunciado. El equipo del que habló a los 100 días de haber sido juramentado se había desplomado.

El **4 de febrero** la juez Laura Taylor Swain aprobó el acuerdo de COFINA que obliga al gobierno a recaudar $15,082 millones entre 2019 y 2023 para el pago de ese renglón de la deuda.

El **6 de febrero** se inauguró a un costo de $189,000 la Plaza de los Creyentes en terrenos del Capitolio, sumándose a la Sala de la Meditación, inaugurada en mayo de 2018, como parte de las iniciativas de los fundamentalistas religiosos del PNP dirigidos por la representante María Milagros Charbonier, santa protectora de los hijos talentosos de los políticos.

La construcción de esta Plaza de los Creyentes fue objeto de investigación por el FBI, ya que fue realizada por allegados a José Jerón Muñiz Lasalle, superintendente del Capitolio, quien antes de ser nombrado intentó ser alcalde de Quebradillas con una campaña que, según los informes de la Oficina del Contralor

Electoral (OCE) y fotos en las redes sociales, incluyó helicópteros y concierto de intérpretes conocidos, pero que obtuvo sobre el 80% de los donativos identificados como en efectivo o "en especie", es decir, regalos que le dieron los donantes y que no eran dinero. Desde hace años, "Jeroncito", como se le conoce en la zona oeste, ha estado estrechamente vinculado a la figura del hoy presidente senatorial, Thomas Rivera Schatz, quien fue presencia constante durante toda su campaña política en Quebradillas en el pasado ciclo electoral.

El **7 de febrero** comenzó una nueva temporada de tragicomedia protagonizada por el ya veterano actor Luis Gerardo Rivera Marín, secretario de Estado. La administración de Rosselló Nevares, aunque sufriendo los dictámenes de la antidemocrática Junta de Control Fiscal, hacía reclamos constantes por la democracia en Venezuela. Desde Estados Unidos y las cadenas de televisión también se atacaba constantemente al gobierno de Nicolás Maduro. En un arranque de superhéroe, Rivera Marín alegó ante las cámaras de CNN en Español que había enviado un avión con ayuda humanitaria a Venezuela y aseguró que el operativo se había completado, que ya el avión estaba en suelo venezolano. Desde Venezuela contestó el presidente de la Asamblea Nacional, Diosdado Cabello, que la alegación de Rivera Marín era "pura paja mental".

Lo cierto es que pasaron varios días y no se tenían noticias del supuesto envío. Finalmente se aceptó que el avión solo viajó a un punto en Colombia desde donde organizaciones internacionales colaborarían en el envío de dicha ayuda. Pero Rivera Marín no se dio por vencido, y el **20 de febrero** envió un barco que pretendía llegar hasta Puerto Cabello en Venezuela. Un reportero de un canal de televisión local acompañó la heroica expedición. El barco fue interceptado y, sin resistencia, tuvo que desviarse hacia Curazao. Lo de Puerto Cabello resultó ser descabellado y le costó al erario $180,000.

El **11 de febrero** salió en los medios la siguiente y alarmante cifra: Se ocupa un promedio de 3,500 armas ilegales al año en el país. Lleguen a sus propias conclusiones.

El **20 de febrero**, Juan Maldonado, director de la Administración de Transporte Marítimo (ATM), se sumó a la larga lista de renuncias del gabinete del gobernador luego de la errada decisión de arrendar una de las lanchas de Vieques y Culebra a unos ricos para la celebración de una boda en uno de los islotes. Esto, mientras los viequenses no tenían en qué transportarse. Priscilla Rodríguez, auxiliar de eventos de la Fortaleza, quien coordinó el arrendamiento, también fue destituida. Se nombró a Mara Pérez, que reconoció que no sabía nada de transporte pero que tendría asesores que sí sabían. Luego del verano de 2019, Pérez protagonizaría un incidente en Vieques que provocó que la gobernadora Wanda Vázquez la separara de la toma de decisiones respecto a las lanchas de Vieques y Culebra.

Al deterioro del gabinete se le añadió otra renuncia el **26 de febrero**: Rafael Batista, director ejecutivo de WIPR Radio y Televisión, quien había llegado a esa posición tras haber sido activista de la campaña primarista de Ricardo Rosselló dentro de la propia estación pública en que trabajaba.

El mes terminó con otro episodio de la lucha libre entre la Junta de Control Fiscal y Ricardo Rosselló Nevares. La Junta acusó al gobernador de incumplir el Plan Fiscal y le anuló veinticuatro resoluciones de asignación de fondos que sumaban $39.8 millones.

El **2 de marzo de 2019**, el presidente de la Cámara de Representantes, Johnny Méndez, le dio un contrato de asesor legal por $72,000 al año a Héctor Díaz Vanga, quien había sido desaforado como abogado recientemente.

El **4 de marzo** Rosselló Nevares participó en una actividad del liderato del PNP y ante 4,000 activistas reiteró que aspiraba a la gobernación para un segundo término. Ciento treinta y nueve días después renunció a dicha aspiración con la esperanza de que dicho anuncio aplacara las exigencias del pueblo de que abandonara el cargo de gobernador de Puerto Rico.

El **6 de marzo**, en una escuela pública en Vega Baja, el gobernador aprovechó una actividad en que participaba para regalar a los estudiantes boletos para que fueran al concierto de Bad Bunny en el Coliseo.

El **13 de marzo**, Pedro Rosselló González, padre del gobernador, presentó su nuevo libro titulado *A mi manera*. Y muy a su manera regresó luego a Puerto Rico para, también a su manera, asistir a su hijo en los momentos difíciles del verano de 2019.

El **14 de marzo**, Noel Zamot, quien renunció como coordinador de revitalización de la Junta de Control Fiscal, dijo que el intento de allegados a Rosselló Nevares de controlar el capital privado que llega a la isla obstaculizaba la revitalización que promueve la Junta. Mientras en la Fortaleza atacaban estas declaraciones, en la Cámara de Representantes, sin vistas públicas y por la vía rápida, se aprobó el proyecto de María Milagros Charbonier que hacía más restrictivo el aborto.

El **22 de marzo** se volvió a sentir la influencia del fundamentalismo religioso en la política de la administración PNP. El alcalde de Lares alegó que Dios le dijo que debiera dejar a su hijo (no el de Dios, sino el del alcalde) en la dirección del municipio. En otro municipio, unos maestros llevaron a unos estudiantes a un acto religioso donde se supone que firmaran un compromiso de abstinencia sexual. También se prosiguió la discusión sobre un proyecto de ley relacionado con las terapias de conversión para personas homosexuales, y el representante Guillermo Miranda presentó su proyecto de ley de libertad religiosa que permitiría a las personas discriminar contra parejas del mismo sexo si así lo dictaban sus principios religiosos. De forma poco religiosa, el representante tuvo que presentar su renuncia al escaño siete meses después, cuando se publicó una conversación que sostuvo con una ayudante a la que despidió por no vender unas libretas de rifa para fondos de su campaña.

El **27 de marzo**, ante las constantes referencias del presidente Donald Trump a lo que llamaba "los políticos corruptos de Puerto Rico", un periodista de CNN le preguntó al gobernador Rosselló

Nevares si consideraba esta actitud del mandatario estadounidense como "bullying" y qué haría si este acoso continuaba. "Si el abusador se acerca, le daré un puñetazo en la boca", contestó el gobernador. Muchos alegan que con esta declaración de guerra a Trump selló su destino político. Y como un puñetazo recibieron los sectores fundamentalistas aliados al PNP la orden ejecutiva de Rosselló Nevares para prohibir las llamadas terapias de conversión a menores de edad.

El **1 de abril de 2019**, que en Estados Unidos se celebra el "April Fools", muchos pensaron que las notificaciones que estaban recibiendo en cascada de distintos medios en sus teléfonos móviles eran una broma de las que suelen hacerse ese día. Los titulares decían: "Renuncian Julia Keleher, secretaria de Educación, y Héctor Pesquera, secretario del Departamento de Seguridad Pública", los dos jefes de agencia más controversiales de la administración de Ricardo Rosselló. Todo parecía indicar que las renuncias estaban encaminadas a quitar elementos que irritaran al electorado, dadas las aspiraciones de Rosselló Nevares a un segundo término. Pero Julia Keleher pretendía quedarse como asesora, devengando los $250,000 que le pagaba la Autoridad de Asesoría Financiera y Agencia Fiscal (AAFAF). El gobernador apoyaba dicha movida. Ocho días después comenzaron a aparecer detalles de los verdaderos motivos de la renuncia de la secretaria-asesora. Durante su corta incumbencia había otorgado $902 millones en contratos. Uno de esos fue con un bufete de abogados en Estados Unidos que ofrecía los servicios de Jay Rosselló, hermano del gobernador, como experto en el asunto de las escuelas chárter.

El **19 de abril** se dio otra renuncia en el equipo ya desmembrado del gobernador, la del director de la Administración de Asuntos Federales de Puerto Rico (PRFAA), Carlos Mercader, que mercadeó los asuntos de la isla en la capital federal a un costo multimillonario en asesores.

El **24 de abril** Ricardo Rosselló Nevares dio su mensaje de estado, en el cual dijo que combatiría el discrimen del presidente Donald Trump con Puerto Rico. Entre los que aplaudían con entusiasmo el mensaje se encontraban personas que pronto serían arrestadas por agentes del FBI que acababan de llegar a la isla para un operativo relacionado con empleados fantasma en el Capitolio. El **30 de mayo** serían arrestados el director de la Oficina de Asuntos Gubernamentales del Senado, Ángel Figueroa, y los excontratistas Isoel Sánchez y Chrystal Robles, quienes enfrentarían dieciocho cargos criminales en la primera ronda de arrestos de la mencionada investigación federal sobre empleados fantasma vinculados con los presidentes de Cámara y Senado.

Cerramos el **mes de abril** con estadísticas preocupantes: Puerto Rico perdió un 4% de su población, esto es, 129,848 personas menos tras el azote del huracán María. Los nacimientos se redujeron de 42,079 en 2011 a 24,322 en 2018. El Índice de Bienestar de la Niñez y la Juventud dice que la pobreza infantil aumentó un 58% entre 2016 y 2017.

El **1 de mayo de 2019** hubo protestas debido a los recortes ordenados por la Junta de Control Fiscal, sobre todo en las pensiones y en el presupuesto de la UPR. Mientras, la representante María Milagros Charbonier concentraba su trabajo legislativo en lograr que la prohibición de las llamadas terapias de conversión no se aplicara a las iglesias o instituciones religiosas.

El **3 de mayo** la Junta pactó con los bonistas de la Autoridad de Energía Eléctrica un acuerdo que agregaría a la factura 2.768 centavos por kilovatio-hora, costo que seguiría subiendo por 40 años hasta llegar a 4.55. Las asociaciones de industriales y mercadeo, así como economistas, aseguraron que el costo de electricidad pactado conduciría a la pérdida de sobre 100,000 empleos en los próximos años. Rosselló Nevares avaló el acuerdo.

El **5 de mayo**, en la sección de negocios de un diario de San Juan, sale un dato muy revelador: mientras hay sobre 300,000 viviendas de precio medio sin venderse, aumentan las ventas de residencias de lujo. Una de las compañías especializadas en este tipo de sector experimentó un alza de $42 millones en 2016 a $82 en 2018. El capitalismo del desastre, del que habla la periodista Naomi Klein en su libro *La doctrina del shock*, donde describe cómo ciertas empresas sacan provecho de los desastres que ocurren en países vulnerables, ya parece tomar auge en el Puerto Rico post huracanes Irma y María. Ya para el **16 de mayo** se informaba que había 250,260 casas de ingresos medios y bajos en riesgo de ejecución hipotecaria, lo que afectaría a unas 750,000 personas, esto es, casi el 25.5% de la población del país. Las más afectadas, mujeres y madres solteras.

El **7 de mayo** el FBI y la Oficina de Ética Gubernamental iniciaron investigaciones separadas sobre Jorge Santini, exalcalde de San Juan, por nepotismo, uso indebido de fondos federales y manejo inapropiado de nóminas en medio del desastre del huracán María. De inmediato fue suspendido como coronel de la Guardia Nacional.

El **8 de mayo** comienza a salir la nueva encuesta del periódico *El Nuevo Día*. El rechazo a la labor de Ricardo Rosselló aumentó un 8% en seis meses, llegando a un 47% de los encuestados. Mientras tanto, solo un 28% la aprobaba. Ese rechazo explica también por qué encendió tan rápido, dos meses después, el reclamo de que renunciara. Pero la caída más dramática en el favor del público fue la de la Junta de Control Fiscal, que de un 69% de aprobación tres años antes bajó a solo un 16%. El resto del liderato del PNP también mostró aumentos en los porcentajes de desaprobación.

El **10 de mayo**, la Junta de Control Fiscal extendió sus tentáculos hasta los municipios y el Centro de Recaudación de Ingresos Municipales (CRIM). De inmediato comenzó a pedir planes fiscales a algunos de los ayuntamientos. Las estadísticas indican que hay sesenta y uno de los setenta y ocho municipios en números rojos. Si se materializan los recortes de los ingresos del CRIM para 2019-20 que propone la Junta, muchos municipios podrían desaparecer.

Ese mismo día 10 de mayo, en Washington, DC, el congresista Raúl Grijalva pidió a la jueza Laura Taylor Swain que rechazara el acuerdo de la Junta con los acreedores de la AEE, pues los consumidores terminarían pagando $23,000 millones en exceso por los próximos cuarenta y ocho años, esto es, sin incluir gastos administrativos. Sin embargo, en la corte, la Junta y el Gobierno fueron de la mano para pedir que se aprobara el acuerdo y el consiguiente aumento en los costos de electricidad. Mientras los fondos buitre celebraban esta victoria, Gobierno y Junta le cortaron $1.3 millones a la Orquesta Sinfónica de Puerto Rico, lo que dejaría a la prestigiosa institución prácticamente inoperante.

El **18 de mayo** estalla otro escándalo. La Autoridad de Carreteras llegó a pagar hasta $500 por cada dron (barril) anaranjado de los que se usan como señalización en algunas vías del país. El costo usual de estos barriles es $75. Rosselló Nevares excusó la acción de Carreteras diciendo que fue una compra de emergencia. Se da a conocer también que la compañía Cobra cobró al gobierno de Puerto Rico un 33% más que lo que había cobrado al estado de Nueva Jersey por la creación de un portal cibernético para la transparencia de los fondos de recuperación.

El **24 de mayo**, en un nuevo capítulo de la lucha libre entre la Junta y Ricardo Rosselló, el ente fiscal advirtió que las partidas sometidas por el gobierno no cumplían con el Plan Fiscal, aquel que se celebró en **el jardín hundido**, y quitó $97 millones a lo sometido por la administración. Finalmente, la Junta envió a la Legislatura un presupuesto de $573 millones menos que el propuesto por Rosselló Nevares. Los líderes legislativos anunciaron que no aprobarían lo sometido por la Junta. El único efecto que tendría dicha acción sería que la Junta impondría entonces su presupuesto.

El **25 de mayo** se dio a conocer que Ahsha Tribble, administradora regional de FEMA, era investigada por favorecer a la empresa Cobra en los contratos de energía. Poco después fue arrestada junto a otra funcionaria de la agencia federal.

El **6 de junio de 2019** se informó que, en el próximo periodo, la matrícula de la UPR se vería reducida de 61,758 estudiantes en 2017 a 55,000. Las proyecciones indican que para el 2024 solo tendríamos 47,639 estudiantes en la universidad pública. Esta reducción, y su efecto en la construcción de un futuro para el país, no pareció preocupar a la Junta de Control Fiscal, que continuó adelante, con el aval del gobierno, en sus recortes presupuestarios al primer centro docente de la isla.

El día en que oficialmente comienza el verano, el **21 de junio**, ocurrieron dos acontecimientos que aceleraron el paso hacia el clímax del drama que de inmediato se desató. El primero fue el estallido de otro escándalo: la empresa BDO, de contabilidad y auditoría, estaba siendo investigada por el FBI por sus contratos en Hacienda, Educación, la Administración de Servicios de Salud y un sinnúmero de otras agencias del gobierno.

Ese mismo día, el secretario de Hacienda y principal oficial financiero del Gobierno de Puerto Rico, Raúl Maldonado, fue voluntariamente a reunirse con el FBI a raíz de la investigación que el organismo federal había comenzado. Lo que habló el secretario de Hacienda con los federales aún no se sabe, pero sí sabemos que Maldonado acudió tres días después, el **24 de junio**, al programa de Rubén Sánchez en WKAQ 580 e hizo unas declaraciones luego de las cuales no hubo marcha atrás. Eran de las 11:00 a.m. ese día cuando dijo que en Hacienda había una mafia institucional y agregó: "la pena que me da es que son de mi administración". Esa afirmación imprimió velocidad al efecto dominó que ya se venía experimentando desde la renuncia de Teresita Fuentes a la jefatura de

Hacienda. A las 3:00 p.m., el gobernador Ricardo Rosselló Nevares le pidió la renuncia a Raúl Maldonado, el hombre de las canas en su gabinete, alegando que había perdido la confianza en él.

El **25 de junio**, Rauli, el hijo talentoso de don Raúl, comenzó a hacer declaraciones contra el gobernador, a quien tildó de corrupto, y amenazó con dar a conocer información que respaldaba su alegación. En los días siguientes compareció ante varios medios de comunicación acrecentando sus diatribas contra el gobernador.

El **28 de junio** se informó que Rauli tenía contratos con al menos siete agencias gubernamentales, un municipio y el Senado de Puerto Rico a través de cinco compañías distintas. La mesa estaba servida para los acontecimientos del verano caliente de 2019.

El **martes 2 de julio de 2019**, mientras el termómetro escalaba el pico de los 100 grados Fahrenheit, el vaporizo que salía de las páginas de los diarios era más intenso, asfixiante. Sofocaba. No encontré una sola referencia a que se cumplían dos años y medio de la juramentación de Ricardo Rosselló Nevares como gobernador del territorio de Puerto Rico. Inconscientemente, parece que nadie lo quiso recordar. Habían pasado 911 días desde aquel **2 de enero de 2017** en que el jovencito que se crió en el Palacio de Santa Catalina y disfrutaba conduciendo un *four track* a alta velocidad había tomado el timón del país. Las portadas de los periódicos hablaban con elocuencia de otro derrumbe: el de la gobernabilidad de la colonia más antigua del hemisferio.

Ese **2 de julio** también se cumplían 243 años de haberse aprobado la separación jurídica de las trece colonias de Inglaterra en el Nuevo Mundo, cuya proclamación de independencia se hizo dos días después. Mientras, en contra de lo que proclamaba dicha declaración de independencia, la Junta de Control Fiscal, impuesta por el Congreso de Estados Unidos por encima de la voluntad de los gobernados, daba los toques finales a una demanda contra el gobernador Rosselló Nevares por incumplir en repetidas ocasiones sus peticiones.

El **9 de julio** se publicaron las primeras once páginas de un chat de un grupo íntimo del gobernador en el servicio de mensajes Telegram. Muy popular en Rusia, esta es una aplicación de mensajería instantánea de alta seguridad que inclusive utilizaba el Estado Islámico para dar a conocer sus acciones. Las revelaciones de esas primeras páginas, con comentarios vulgares, expresiones misóginas, referencias burlonas a personas por su orientación sexual o condición física y malas palabras, fueron lo suficientemente candentes como para encender la mecha de la indignación pública.

Como si eso fuera poco, el **10 de julio** los federales acusaron y arrestaron a la exsecretaria de Educación, Julia Keleher, a Ángela Ávila, directora de la Administración de Seguros de Salud (ASES), a Fernando Scherrer de BDO, a Alberto Velázquez Piñol, asesor y contratista de la Fortaleza, y a Glenda y Mayra Ponce por fraude y lavado de dinero ascendente a $15.5 millones.

El **13 de julio**, el Centro de Periodismo Investigativo publicó las 889 páginas de lo que muchos bautizaron como "el chat de la infamia". Aquí las ofensas eran mucho más crudas, e incluso se burlaban de los muertos que aún no procesaba el Instituto de Ciencias Forenses. Esa misma tarde se convocó a una marcha que se realizó al otro día, **14 de julio**, para pedirles la renuncia a Ricardo Rosselló y a los integrantes del chat. Desde ese día, las manifestaciones no tuvieron pausa. El **15 de julio** varios artistas puertorriqueños conocidos a nivel internacional, como Bad Bunny, Tommy Torres y René Pérez "Residente", convocaron a otra marcha para el miércoles **17 de julio** que llegó hasta los portones de la Fortaleza.

El **18 de julio** Ricardo Rosselló regresó abruptamente de unas vacaciones en un crucero por el Mediterráneo. Esa noche dijo que renunciaba a las aspiraciones a un segundo término en la gobernación como paliativo a la indignación del pueblo y a la incomodidad de los miembros de su propio partido. Fue evidente, durante la transmisión de su mensaje, que el gobernador estaba en total negación, el efecto sicológico que sufre una persona ante una pérdida terrible. No era para menos. En el "chat de la infamia" murió ese Ricardo nene-bueno, inocentón, servidor público, que con tanto esmero sus padres, él mismo y luego sus relacionistas públicos cultivaron. Era una pérdida irreparable. No había ya quien resucitara a ese Ricardo que murió, cuyo certificado de defunción tenía 889 páginas disponibles en cualquier sitio web. La gente no se quitó de protestar.

El **22 de julio**, se dio la marcha más grande en la historia del país, estimada en cerca de un millón de personas, en la que gente de todos los perfiles sociales, económicos y políticos, junto a conocidos artistas, deportistas, reinas de belleza y personalidades de la radio y la televisión, se dieron cita en el expreso Las Américas, abarrotando todos los carriles de ida y vuelta.

El **24 de julio**, poco antes de las doce de la noche, el gobernador anunció su renuncia efectiva el 2 de agosto. Desde esa noche hasta el **2 de agosto a las 5:00 p.m.**, cuando sería oficial la renuncia, Rosselló Nevares se encargó de no dejar lugar a dudas de que él era el mismo del "chat de la infamia". Firmó decenas de leyes, cincuenta y ocho de ellas el día antes, entre las que se destacaban la 122 y la 141, que reducían la obligación del Estado de hacer públicas sus acciones, limitando así los derechos constitucionales al acceso de información y al ejercicio de la libertad de prensa. Otra de las leyes convirtió la solicitud o renovación de la licencia de conducir en una manera de inscribir automáticamente a los jóvenes de dieciocho años en el sistema del Servicio Selectivo del Ejército de Estados Unidos. Mientras, para agregar elementos a este drama del absurdo, una abogada que se apareció a ofrecer sus servicios a la primera dama en medio de este escándalo y que se hacía llamar "la abogada motorizada" logró el indulto de uno de sus clientes: un médico que cumplía sesenta años de cárcel por asesinato. También se cuenta que el pastor Jorge Raschke, que fue a poner en oración a la primera familia en sus últimos días, le sugirió a la señora Rosselló que pintara de blanco el Pórtico de la Igualdad, que mostraba los colores de la comunidad LGBTT. Y así se hizo.

Luego de firmar contratos por millones de dólares, el **2 de agosto de 2019** Ricardo Rosselló Nevares se convirtió en el primer gobernador electo que tiene que renunciar a su cargo. Su salida no aminoró el drama que se vivía en los alrededores del Palacio de Santa Catalina. Todo lo contrario. Desató una crisis política y constitucional en que muchos quedaron retratados.

El **31 de julio** Rosselló Nevares nombró secretario de Estado a Pedro Pierluisi para que pudiera sucederle como gobernador, en contra de los deseos de Thomas Rivera Schatz, quien al parecer deseaba otra cosa. El **2 de agosto** la Cámara de Representantes comenzó las vistas de confirmación de Pedro Pierluisi como secretario de Estado a pocas horas de que ya fuera oficial la renuncia del gobernador. Sobre las 3:30 p.m., la Cámara aprobó el nombramiento. A eso de las 5:00 p.m., tan pronto Ricardo Rosselló dejó la silla, Pedro Pierluisi fue juramentado como gobernador. La reacción del presidente del Senado no se hizo esperar: convocó una sesión para el lunes **5 de agosto** donde dejó en manos del Tribunal Supremo resolver la controversia en torno a la legitimidad de la juramentación de Pedro Pierluisi. El Tribunal Supremo no evadió la controversia y el miércoles **7 de agosto** a las 5 p.m. hizo oficial su decisión unánime, declarando inconstitucional la juramentación de Pedro Pierluisi. Wanda Vázquez, secretaria de Justicia que de inmediato pasó a ser secretaria de Estado, juró rápidamente como gobernadora.

El **8 de agosto**, a menos de 24 horas de la juramentación de Wanda Vázquez, el presidente del Senado y del PNP, Thomas Rivera Schatz, convocó al Capitolio a alcaldes, legisladores y a la comisionada residente, Jenniffer González. Luego de la reunión, se manifestó a favor de que Wanda Vázquez nombrara a Jenniffer González secretaria de Estado y luego renunciara para que González asumiera la gobernación. Este acto se tomó como un intento de golpe de estado. Wanda Vázquez, con una calma que contrastaba con el estilo de dictadorzuelo de Rivera Schatz, aseguró que se quedaría en el puesto hasta cumplir su mandato constitucional el 2 de enero de 2021. Y el golpe de estado quedó noqueado.

Luego de que las aguas comenzaran a bajar y el cerco policial a la Fortaleza fuera levantado, los periodistas, turistas y gente del pueblo volvieron a penetrar con curiosidad en el Palacio de Santa Catalina. Al entrar, en un costado a la derecha, **el jardín hundido** seguía mostrando aún las huellas del huracán Irma, que había destruido su flora, y las huellas de la salida precipitada de Ricardo Rosselló, que aquel **13 de marzo de 2017** lo había utilizado para una foto que sus ayudantes creyeron que sería histórica. La historia a veces queda escrita de formas insospechadas por sus propios protagonistas.

La Fortaleza, 2019
Garvin Sierra @TallerGráficoPR

CAPÍTULO 2

Temporal en el pecho

Pedro Reina Pérez

Aquí vive una sombra
aquí vive un recuerdo
aquí vive un abismo.
Pasen señores, pasen
les aguarda un cadáver
con los ojos en la carne
les espera una tumba
con niños plegadizos acurrucados,
les espera un silencio de túnel
amarrado a un ombligo.

—Ángela María Dávila y José María Lima
(en *Homenaje al ombligo*, 1966)

1. Lealtades fracturadas

La imagen me resultó inolvidable. En la foto observo a René Pérez, "Residente", parado sobre un auto frente al capitolio. Lleva una gorra de pelotero al revés —perfectamente en sintonía con el código masculino de vestimenta "urbano chic"—. Micrófono en mano, arenga a una multitud que descarga su visceral descontento con el gobernador Ricardo Rosselló Nevárez frente a la llamada casa de las leyes. A su lado, Bad Bunny lo escolta ondeando una banderita de Puerto Rico. Lleva la cara cubierta por dos artículos singulares: en los ojos, unos anteojos enormes que le cubren hasta la nariz, y en la boca, una mascarilla médica de tela negra. El rostro queda perfectamente encubierto. No obstante, todos saben de quién se trata. Hay otros artistas junto a ellos —Tommy Torres, Ricky Martin, iLe— pero es Residente quien lleva la voz cantante. Frente a ellos, una enorme pancarta con la monoestrellada y una inscripción contundente: "Nos enterraron sin saber que somos semillas". Una escena que destila pura poesía. Sin comprender lo poético, sin apreciarlo, es imposible encontrarle sentido al Puerto Rico que en julio y agosto de 2019 invadió las calles como nunca antes.

Es imposible mirar ese lugar —la escalinata del lado norte del Capitolio— y no evocar a otros protagonistas y otro tiempo. Para alguien que como yo vivió una parte de su vida en el Viejo San Juan, pasar frente a este lado del Capitolio se tornó un ejercicio cotidiano. Sin embargo, para la mirada alerta, llama la atención la desconexión tan enorme entre este gigantesco edificio de mármol y la tradición arquitectónica de la isla. En ningún edificio institucional se emplea este material, salvo en las tumbas y los mausoleos. Ausentes otros referentes decorativos autóctonos, este edificio se erigió como una excepción en sí mismo. Una estructura que no conversa con ninguna otra, al menos en nuestro entorno. Y esto tiene una explicación: su construcción representó la instauración de una tradición política ajena a los puertorriqueños. De ahí que simbolice el poder foráneo que llegó a la isla por vía de una invasión militar y que, por lo tanto, posea un significado ritual único en Puerto Rico.

Fue en este mismo lugar donde se proclamó la creación del Estado Libre Asociado (ELA) en 1952 desde una inmensa tarima que hizo las veces de altar ceremonial. En ella se sentaron los protagonistas de aquel momento singular en que se constituía un tiempo "nuevo", en alegada alianza con el gobierno de Estados Unidos; un tiempo que dejaba atrás el colonialismo en favor de una creación política novedosa. Y para representarlo, se izó por primera vez la bandera puertorriqueña, la misma que había estado proscrita hasta ese momento y por cuya defensa muchos fueron perseguidos y encarcelados. La foto de Luis Muñoz Marín tirando del cordel que elevaba la monoestrellada sola ante la multitud adquirió un valor simbólico fuera de lo ordinario. Y ese era el propósito: demarcar simbólicamente un cambio importante en las prácticas cívicas, adornadas por valores como el respeto, el orden y la conformidad. La coreografía de esa ceremonia reforzaba esta idea, y por eso el rito era importante. Desde ese momento, todo edificio gubernamental tendría frente a sí dos astas: una para la bandera de Estados Unidos y otra para la de Puerto Rico. No quería esto decir que existiera un consenso generalizado, claro que no. El ataque a tiros al Congreso en Washington, DC, el 1 de marzo de 1954, por cuatro miembros del Partido Nacionalista fue un acto contundente de denuncia del colonialismo prevaleciente. "¡Viva Puerto Rico libre!", gritaba Lolita Lebrón mientras descargaba su pistola Luger, apuntando hacia el techo del hemiciclo federal. No obstante, la proclamación del tiempo nuevo en la isla continuó por varias décadas, y la escalinata del Capitolio fue el lugar escogido para dar continuidad a los actos oficiales y a la celebración de ciertas efemérides para reforzar entre los puertorriqueños las prácticas de lealtad hacia la nueva relación con Estados Unidos.

Observar las imágenes de Residente y Bad Bunny entonando consignas frente al Capitolio, bandera en mano, me hizo recordar otro momento determinante para entender la complejidad de este particular verano. En la primavera de 1959, siete años después de proclamado el Estado Libre Asociado, Luis Muñoz Marín arribó al teatro Sanders de la Universidad de Harvard para participar tres noches seguidas en las Conferencias Godkin, centradas en esa ocasión en el tema de Puerto Rico y el contexto global de aquella época. Tituló sus discursos "Breakthrough from Nationalism: A Small Island Looks at a Big Trouble" y en ellos hizo un examen de los retos que el nacionalismo presentaba para la creación de nuevas formas de federalismo político. La isla era una excepción particular a los desarrollos que se observaban en el mundo y eso justificaba que se apostara por el modelo puertorriqueño, alegaba Muñoz Marín. Y a eso había venido. Su comparecencia, empero, formaba parte de una estrategia comunicativa y legislativa más amplia para reformar el Estado Libre Asociado, según lo evidenció el fallido proyecto de ley Fernós-Murray, que no avanzó en el Congreso.

Una frase tomada del texto de la segunda conferencia de Muñoz en el ciclo Godkin ejemplifica la intención de enmendar el ELA. Decía Muñoz: "El crecimiento político no se ha detenido con el nacionalismo. En el mundo contemporáneo están surgiendo nuevas formas de federalismo. Puerto Rico está contribuyendo, espero que con provecho, a este crecimiento porque Puerto Rico ha dejado atrás las emociones políticas del nacionalismo. Nosotros en Puerto Rico no somos nacionalistas puertorriqueños ni nos hemos convertido en nacionalistas norteamericanos. Somos ciudadanos leales, no nacionalistas, de Estados Unidos". La ironía de recordar estas palabras, de cara a los acontecimientos escenificados en San Juan cincuenta años más tarde, me sirve para calibrar precisamente qué pasó en el medio siglo que separa ambos sucesos. No obstante, en junio de 2019, ¿cuán vigente era esta afirmación?

Resulta imposible entender el valor de la insignia patria nacional como emblema sin comprender que su arraigo creció en oposición a los esfuerzos oficiales por contener y dirigir el ímpetu identitario. En otras palabras, el gobierno de Muñoz Marín quiso modelar la conducta esperada de la ciudadanía, una vez controlada la amenaza nacionalista. Cualquier desviación era denunciada. Pero, ¿qué quería decir que éramos en 1959 "leales ciudadanos, no nacionalistas, de Estados Unidos"? Después del encarcelamiento definitivo de Pedro Albizu Campos en 1954 por el ataque al Congreso y que la Ley de la Mordaza (1948-1957) atemorizara significativamente las filas del independentismo, los afanes del gobierno se concentraron en promover la obediencia por todos los medios posibles. Conviene recordar además que la década del 1970 vio intensificarse la llamada Guerra Fría con la Unión Soviética y, luego de la Revolución Cubana (1959) y la crisis de Playa Girón (1961), Puerto Rico se convirtió en "vitrina" de los valores que Estados Unidos quería proyectar al mundo. Esa lealtad se promovió reforzando la celebración de efemérides estadounidenses como el 4 de Julio (en práctica desde principios de siglo) y proyectando el poderío militar mediante desfiles protagonizados por la Guardia Nacional. Año tras año se erigía una tarima en el lado sur del Capitolio frente a la cual desfilaban tropas uniformadas, carrozas y vehículos del Ejército, entre otros. En ocasiones, aviones y helicópteros se integraban para reforzar la vistosidad del evento.

El uso oficial de las banderas de Puerto Rico y EE.UU. en estos eventos estaba regido por estrictos protocolos que dictaban presentarlas juntas, nunca separadas. El objetivo gubernamental era claro: ambas simbolizaban la estabilidad y el progreso que quería destacarse. El uso de la bandera puertorriqueña fuera de los contextos oficiales se consideraba controversial y se entendía como una manifestación de ánimo separatista. No obstante, la práctica se hizo poco a poco más común, en parte por los efectos que otros esfuerzos gubernamentales de afirmación cultural, como los del Instituto de Cultura Puertorriqueña, tuvieron en la conducta general. El independentismo nunca dejó de defender la bandera y las tradiciones —pagando un terrible precio en el proceso—, pero el trabajo del Instituto reforzó estas prácticas por otras vías, discretamente. Festivales de artesanías, exhibiciones de arte popular y recuperación de músicas autóctonas, entre otras, fueron iniciativas que ampliaron el registro de la cultura puertorriqueña. Los centros culturales, con una intensa actividad en cada pueblo, y las iniciativas para integrar el tema puertorriqueño al currículo escolar redundaron en un reconocimiento mayor de las señas de identidad entre los más jóvenes. Todo esto fue gradual y contribuyó a que se perdiera el miedo a defenderlos más allá de las ideologías tradicionales.

La Universidad de Puerto Rico también desempeñó un rol importante en preservar y defender lo puertorriqueño, pero fue duramente reprimida. Sus movimientos estudiantiles efectuaron importantes batallas contra el militarismo, la intolerancia y la represión. Las huelgas contra los aumentos en la matrícula, la participación de estudiantes y profesores en movimientos sociales y la producción artístico-intelectual en general abrieron una brecha de resistencia al colonialismo. El asesinato deliberado en 1978 de Arnaldo Darío Rosado y Carlos Soto Arriví en el Cerro Maravilla, en medio de un entrampamiento coordinado por un agente encubierto de la policía que se hizo pasar por estudiante, puso en evidencia la intolerancia del gobierno a esta disidencia.

Un ejemplo revelador del poder insurreccional de la bandera puertorriqueña ocurrió apenas un año después, en los Juegos Panamericanos de 1979 celebrados en San Juan bajo la gobernación represiva de Carlos Romero Barceló. El gobernador fue abucheado de manera notable durante su discurso en la ceremonia de apertura, pero lo que mejor recogió el espíritu de resistencia fue lo sucedido en la piscina olímpica del Escambrón al concluir un evento que ganó el boricua Jesús "Jesse" Vassallo Anadón. Sin poder representar a Puerto Rico por no cumplir con un requisito de residencia, el nadador formó parte del equipo de Estados Unidos, y al subirse al podio se dispuso a escuchar el himno de ese país. No obstante, Vassallo llevaba una pequeña bandera monoestrellada en el bolsillo de su chaqueta, la cual enarboló, y el público presente le regaló una versión electrizante de *La borinqueña*, entonada a viva voz.

Huir de la propia sombra

(25 de junio de 2019, *El Nuevo Día*)

Una vez más asistimos al espectáculo de ver al gobernador Ricardo Rosselló Nevares defendiendo su gestión del gobierno con dos planteamientos manidos: que no sabía nada de lo que se denuncia —en este caso, por boca de Raúl Maldonado— y que su administración no tolera ni tolerará actos impropios. Tantas han sido las veces que el primer mandatario ha pronunciado estas palabras en los pasados dos años que ya casi producen bostezo. Digo casi porque esta vez el embarre público ha sido mayúsculo, ya que proviene de su hombre fuerte, el controlador de las finanzas públicas, que son el último bastión de defensa de Rosselló ante los embates de la Junta de Control Fiscal (JCF). Baste recordar que cuando la Junta quiso nombrar un síndico para el Departamento de Hacienda se desató un operativo para impedirlo. Sin control de la chequera, al gobierno del Partido Nuevo Progresista no le quedaría nada para distribuir, y eso hubiera impedido su posible camino a la reelección. De ahí que Maldonado se convirtiera literalmente en un supersecretario, y que sus denuncias contra la Fortaleza hiedan en este momento a pura traición.

La movida de Maldonado es eminentemente egoísta y presagia nuevas sacudidas al círculo interno del gobernador, acaso contundentes si se considera que las autoridades federales rondan los despachos (y las almohadas) de la presente administración, incluida la Legislatura. Rosselló apostó triple por Maldonado y prevaleció en su afán de instalarlo y apoderarlo. Por eso no creo ni por un segundo que Raúl Maldonado sea víctima de nadie. Ninguna persona con ese nivel de conocimiento profundo y probada destreza en los pasillos del poder puede ahora reclamar distancia de actos y personas que hasta ayer tenía bajo su absoluto mando. Podrá vestirse de monaguillo y bajar la cabeza para denunciar, pero olvida que no está en la iglesia sino en una escandalosa gallera. Sus motivos no tardarán en conocerse y entonces podremos apreciar quién lo mortifica y por dónde es que lo aprietan. Su estrategia en cualquier caso es defensiva y, como reza el dicho, quien pega primero, pega dos veces.

Lo que nos devuelve al gobernador Rosselló Nevares y la sombra de su señor padre, Pedro Rosselló González, cuyo entorno cuando fue gobernador (1993-2000) colapsó ante los arrestos por corrupción de funcionarios y legisladores. Hasta el día de hoy, aquella administración prevalece como la definición misma de un gobierno corrupto, y contra esa herencia batalla sin éxito el hijo tratando de diferenciarse del padre, aunque con pésimos resultados. Larga es la lista de imbéciles que han salido del entorno del hijo por sencillos errores de juicio, a la que pronto se sumarán aquellos y aquellas que lo harán debidamente esposados. Deberá ensayar una nueva estrategia para respirar en medio del incendio si no quiere repetir la desdicha de su progenitor. Tiene en su contra al presidente Trump, quien no desaprovechará para denostarlo y de paso reiterar su odio hacia nosotros. Nada sencillo para un joven Rosselló que cada día se confirma inferior a su destino.

2. Conflictos expansivos

Comprender las expresiones multitudinarias de este Puerto Rico herido y doliente que se tiró a la calle en el verano de 2019 requiere considerar el decadente estado de la economía y la falta de perspectivas de cara al futuro. Nada de esto se puede entender sin estudiar el corrosivo efecto del bipartidismo y la cultura de clientelismo que creció en su entorno. De esta valoración ningún partido político se salva. Sus consecuencias las vivimos a cada instante.

El modelo económico de industrialización por invitación, iniciado en la década de 1940, permaneció en efecto *grosso modo* hasta los años noventa. Este dependía de los beneficios contributivos que otorgaba el Código de Rentas Internas federal a las empresas manufactureras que hicieran negocios en la isla. El beneficio para la isla eran las oportunidades de empleo, que resultaron significativas. Al contrario de la agricultura, cuyo ciclo productivo limitado conducía a la precariedad, la manufactura ofrecía una estabilidad de ingresos positiva. Las dos excepciones al modelo fueron el fallido intento de convertir la isla en un centro de refinamiento de petróleo, en la década de 1960, y la transformación en 1976 de los incentivos contributivos a las empresas mediante la nueva Sección 936. Esta concedía exención total a todo ingreso que compañías estadounidenses generaran —no solo en el empleo— en los territorios como Puerto Rico. Entre las mayores beneficiadas estarían las empresas farmacéuticas, con su necesidad intensa de capital, al contrario de las manufactureras tradicionales, con su necesidad intensa de mano de obra. Las fortunas para las empresas acogidas a la Sección 936 fueron inmensas, y la economía de la isla se mantuvo, a grandes rasgos, pujante. Pero el Congreso comenzó a sospechar de los beneficios a las empresas estadounidenses, que no pagaban impuestos sobre sus ganancias astronómicas. A esto se le designó peyorativamente "mantengo corporativo". Además, resultaba obvio que dichas empresas favorecían políticamente el *statu quo* a través de cabilderos, razón por la cual el anexionismo valoró la 936 como un impedimento concreto a la concesión de la estadidad y comenzó a cabildear para su eliminación. Finalmente, el Congreso derogó el estatuto de manera definitiva en 1996, pero concedió un periodo de transición de diez años, aunque no lo reemplazó con ningún otro mecanismo de estímulo económico. Hoy todos los economistas concuerdan en que 2006 fue el comienzo de la profunda depresión que asola a la isla. Uno de los responsables de esta pésima decisión fue Pedro Rosselló González, padre del infame gobernador Ricardo Rosselló Nevares, como ya se dijo.

Como candidato, Pedro Rosselló González rompió varios moldes en la política partidista. Era un médico joven, con una carrera exitosa como cirujano pediátrico. Su candidatura a la gobernación por el Partido Nuevo Progresista (PNP) representó un cambio notable en forma y contenido respecto a candidatos anteriores como Baltasar Corrada del Río. En virtud de su juventud y éxito profesional, estaba bien diferenciado de otros líderes establecidos del PNP como Carlos Romero Barceló, y frente a Victoria Muñoz Mendoza, su rival en el Partido Popular Democrático (PPD), representaba un importante cambio generacional. Todo esto contribuyó a que consiguiera un triunfo rotundo en las elecciones de 1992.

La elección de Rosselló González consagró una campaña novedosa que se centró en la persona física del joven candidato por sobre sus demás cualidades. Sus anuncios en televisión lo destacaban trotando en pantalones cortos, seguido de una multitud que iba creciendo tras él conforme avanzaba por la calle. La suya fue la primera campaña en que el candidato era literalmente el producto de consumo. En otras palabras, un triunfo novedoso del mercadeo moderno aplicado a la política.

En 1996 volvió a postularse y consiguió una victoria de más de un millón de votos, algo inédito en la historia de los comicios insulares. Algo parecido intentaría su hijo Ricardo en 2016, casi veinte años más tarde, pero con resultados muy distintos.

Pero esto no fue lo único que lo distinguió en sus estrategias mediáticas: Rosselló González se abrazó a la bandera de Puerto Rico como táctica para adelantar la anexión, de un modo impensado para sus antecesores Luis A. Ferré y Carlos Romero Barceló. Si bien estos dos abrazaron el concepto de la llamada "estadidad jíbara", que defendía la admisión de la isla como estado con todas sus particularidades culturales, la adopción definitiva de la bandera fue la frontera que ninguno se atrevió a cruzar. La cultura y el español eran hasta ese momento los emblemas del Partido Popular Democrático, que reclamaba su titularidad histórica como partido autonomista. Pero Rosselló González cambió el imaginario político y se posesionó con entusiasmo de este símbolo y de todo lo que representaba: español, identidad propia y soberanía deportiva, entre otros. Lo hizo al tiempo que promovió dos plebiscitos de estatus, en 1993 y 1998, confiado en que así conseguiría dominarlos, pero no fue así. Para su desgracia, su triunfo en las elecciones generales nunca se tradujo en un triunfo contundente de la estadidad. El electorado distinguía entre elegir a un gobernador y elegir un estatus definitivo: la paradoja perfecta.

Los dos términos de Pedro Rosselló González como gobernador se destacaron la introducción de la medicina neoliberalista en la economía de la isla. La reingeniería aplicada al gobierno y la privatización en general fueron las banderas enarboladas para consignar un nuevo tiempo y un nuevo estilo, que terminaron siendo desastrosos. La venta de los dispensarios que conformaban el sistema público de salud para dar paso a una estructura diferente y costosa fue una decisión que contribuyó al subsiguiente endeudamiento del gobierno. Pero fue la corrupción generalizada en la administración de Rosselló González lo que más sacudió al país. Fraude con fondos federales para combatir el VIH-sida y con los fondos de educación pública fueron dos de los escándalos más destacados. Más de 40 funcionarios y contratistas de la administración enfrentaron cargos judiciales por participar en actos de corrupción.

Una sola cruz, nunca más

(21 DE JULIO DE 2019, *EL NUEVO DÍA*)

"Somos más y no tenemos miedo" es una consigna poderosa, máxime cuando la enuncia un pueblo que porta en su rostro la cicatriz del silencio. Callar era imperativo, aunque hacerlo violara la conciencia. A punta de macana y cárcel se persiguió al independentista para reducirlo a la nada. A fuerza de chantajes se doblegó al estadolibrista para que guardara silencio, no fuera que por temeridad perdiera la casa o el empleo. Con demandas de lealtad absoluta se fidelizó al anexionista para evitar que, por alguna fugaz imprudencia, pusiera en riesgo la ciudadanía y el pasaporte. Así fueron las cosas de generación en generación, hasta que un día las mordazas rodaron con tal fuerza que el primer grito devino ejercicio terapéutico. Nunca más —dijimos— y andemos a la calle.

Ríos de tinta se escribirán sobre este momento histórico inédito, y con sobrada razón. Cada día trae una nueva sorpresa, una nueva forma de expresar el desprecio hacia los canallas de gabán y corbata que se mofaron de nosotros y de nuestros muertos. Empero, este momento supera esa puntual injuria y se extiende a otros agravios largamente reprimidos. La lista es extensa y lleva el testimonio personal de cada ciudadano. Nuestra clase política, en vez de servirnos, se aprovechó de nosotros hasta dejarnos en la insolvencia. Rotos por las traiciones y abatidos por dos huracanes, nos reconocimos unos a otros. Con tambores y cacerolas, caminando o en motora, por tierra y por mar. Solemnes unas veces y alegres las demás. Liberados, simplemente. Y resueltos.

La felicidad de este momento indica el fin de la lealtad ciega a los partidos, que claramente no nos representan. Esto no es poca cosa. Se aproxima un año electoral y la venganza del voto independiente sacude a los dos partidos de mayoría, que se saben objeto de nuestra furia. Aguardamos por la Legislatura, si es que se anima a descargar su responsabilidad. El anexionismo teme un retroceso porque no sabe —o no quiere— explicar esta rebeldía. Donde antes hubo acatamiento y obediencia hoy hay rabia pura, y de todos los colores. No entienden una insurrección democrática porque nunca han visto una. Es obvio que desconocen la historia de Selma, Alabama, o de Delano, California, por mencionar ejemplos apropiados.

El autonomismo anda por el mismo camino, llamando a celebrar el 25 de julio como si el Estado Libre Asociado (ELA) tuviera algún signo de vida. Bajo el yugo de la Junta de Control Fiscal y con sindicaturas federales anunciadas en varias agencias, el ELA es simplemente una alfombra para limpiarnos los zapatos. Enajenados y delirantes, los populares tratan de pasar agachados para no coger el cacerolazo que se merecen, pero no pueden. Suya es la herencia de una sola cruz bajo la pava, y suya la sentencia de que no volverá a ocurrir. El cuerpo del Prócer yace finalmente en su última morada. Suya sea la paz de los sepulcros.

Me despido citando a Casa Pueblo, que es un lugar que lleva décadas modelando formas de vida pacíficas y sustentables: "Regresa la felicidad a Puerto Rico, con un pueblo que lucha por un futuro diferente". Exactamente.

3. Coraje a viva voz

Es cierto que la revelación del chat de Telegram del gobernador Ricardo Rosselló Nevares el 9 de julio de 2019 produjo un efecto catártico, pero la sombra de conversaciones impropias mediante mensajes de texto ya había irrumpido en la escena pública con el caso del presidente de la Comisión Estatal de Elecciones, Rafael Ramos Sáenz, causando un ambiente de suspicacia respecto al gobierno. Todo comenzó por un cuestionamiento sobre un vehículo oficial que lo recogía y traía de Aguadilla a San Juan todos los días. En un programa radial, Ramos Sáenz proclamó el fin de la controversia alegando que él no era un funcionario público más, ni un jefe de agencia, sino un juez que hizo una pausa en su vida respetable y tranquila para servir al pueblo de Puerto Rico. Los hechos revelados lo contradijeron.

En ese escándalo supimos que dicho personaje intercambió mensajes impropios sobre sus funciones oficiales con distintas personas, entre ellos el secretario de la gobernación, William Villafañe y la subsecretaria de la gobernación, Itza García. Villafañe y García renunciaron a sus puestos y fueron investigados por la Oficina del Fiscal Especial Independiente. Ramos Sáenz perdió su puesto, enfrentó diecinueve cargos y recibió una sentencia suspendida de seis años, luego de acogerse a un acuerdo con la fiscalía. Este incidente fue el preámbulo de la debacle del chat de Telegram, porque reveló el nivel de colusión decadente con que funcionaba la administración de Rosselló Nevares. De este episodio aprendimos el grado de ingenuidad e incompetencia de los implicados, abonando a la desconfianza de la ciudadanía.

Otro detonante que agregó combustible a la mezcla fue el escándalo de Raúl Maldonado, a la sazón secretario de Hacienda, quien denunció que había una red de corrupción en la agencia que él dirigía. El gobernador, perplejo por la alegación, despidió a quien hasta ese momento fue uno de los funcionarios más protegidos y poderosos de su administración. Pero lo que nadie anticipó fue que el hijo de Maldonado saliera en defensa de su padre, amenazando con dar a conocer otras conversaciones por mensajería de texto en las que alegaba participaban funcionarios y miembros del gabinete. Pocos días después se divulgó un legajo de más de 800 páginas.

Casi al mismo tiempo se conoció del arresto de la exsecretaria del Departamento de Educación, Julia Keleher, una de las más controversiales funcionarias de tiempos recientes. La creación de las escuelas chárter y el cierre masivo de planteles fueron dos de los asuntos que mayor controversia generaron. En la misma redada cayeron Ángela Ávila, la exdirectora de ASES (Administración de Seguros de Salud), y Fernando Scherrer, ejecutivo de BDO Puerto Rico. También las hermanas Mayra y Glenda Ponce Mendoza, quienes fungían como consultoras de la secretaria de Educación. La sensación de estupor ante el impacto colectivo de estos tres eventos prendió la mecha de las manifestaciones del verano. Pero la rabia se venía acumulando desde mucho antes.

Para comenzar a comprender todo esto es preciso entender que Puerto Rico vivió una serie de traumas consecutivos que le infligieron un inmenso dolor e incertidumbre, entre otras cosas. La quiebra declarada del gobierno en 2016 y la indiferencia del gobierno federal hacia la isla fueron el primer asalto sufrido. Cuando se conoció que la ley de quiebras federal excluyó en 1984 a Puerto Rico de las protecciones ofrecidas bajo ella, en un episodio que nadie pudo explicar, se pensó que el Departamento del Tesoro federal intervendría para remediar esta indefensión. Muy por el contrario, el Congreso afirmó que no habría consideraciones con Puerto Rico y advirtió que, así como tomó prestado, tendría que pagar. De nada valió un intento de la administración del exgobernador Alejandro García Padilla de subsanar esto con una ley de quiebra "criolla", la cual fue derrotada en los tribunales. La respuesta fue la ley PROMESA, que instaló una junta de siete personas con inmunidad total para enderezar el entuerto, una junta para la que se nombró a dos pasados funcionarios de gobierno, Carlos García y José Ramón González, que a su vez fueron ejecutivos del Banco Santander, uno de los bancos involucrados en gestionar la venta de bonos de Puerto Rico. De nada sirvieron las denuncias de conflicto de interés contra estos dos señores. Además, para presidir la Junta se escogió a José Carrión III, un ejecutivo de seguros con vínculos estrechos en el Partido Republicano estadounidense, dispuesto a imponer disciplina fiscal en la isla. Un hombre que al pasar el tiempo y sin tapujos declaró su adhesión al partido y a la persona de Donald Trump. Su meta siempre ha sido imponer la austeridad y cobrar la deuda. A cualquier costo.

Una conciencia competitiva

(15 DE OCTUBRE DE 2019, *EL NUEVO DÍA*)

Con su reciente afirmación de que está con el presidente Donald Trump porque él es republicano, el presidente de la Junta de Control Fiscal, José Carrión III, nos entrega mucho más que una declaración de lealtad hacia el primer mandatario estadounidense porque nos permite apreciar el cálculo que sostiene esta postura. La operación revela además hasta qué punto puede contorsionarse su conciencia en la realización de sus objetivos como presidente y empresario, que son, a pesar de su afirmación en el sentido contrario, indistinguibles. Tanta candidez en sus palabras desborda cualquier nivel apropiado de tolerancia, porque para este servidor las acciones de la Junta no son una mera abstracción financiera sino un daño real y duradero al tejido social y moral de Puerto Rico. Una herida sangrante, concreta y trágica que cargarán las generaciones futuras.

Afirma Carrión que son muchos los puertorriqueños que apoyan al presidente Trump dentro y fuera de la isla y que, en un proceso democrático, es bueno que el respaldo se reparta entre las opciones disponibles. Lo contrario es peligroso porque desaparece la competencia, según su opinión. Nótese que en estas palabras no existen distinciones éticas, morales o legales entre las "opciones" para equipararlas falsamente en una especie de suma pragmática personal, hecha a su medida. O se es republicano trumpista cabalmente —al decir de este señor— o no se es. Así las cosas, el todo o nada que emana de sus palabras, dibuja el contorno de su propia ceguera.

Que hoy se diga que uno respalda a Trump porque es republicano demuestra la inmensa miseria actual de un partido que, como el Fausto de Goethe, vendió su alma al diablo por una efímera recompensa. Y esto es así porque los republicanos que no respaldan a Trump prefieren el silencio cobarde antes que sufrir el escarnio de los fanáticos que lo defienden. En consecuencia, funden literalmente el porvenir del partido con el del déspota que hoy lo encabeza: un sujeto probadamente misógino, xenófobo y mentiroso. Quien respalde a Trump a estas alturas está de acuerdo con el coloniaje racista que mantiene a los puertorriqueños sometidos a la voluntad del Congreso; la degradación del ambiente a causa de la desregulación; la explotación de menores separados de sus familias en la frontera; la exaltación de la desigualdad económica mediante una reforma tributaria amañada; y el sabotaje de las instituciones democráticas de supervisión y balance del poder ejecutivo por un rufián vulgar, megalómano y narcisista (dicho por el propio *The Wall Street Journal*). Que nada de lo anterior concite en el señor Carrión III asomo alguno de escrúpulos da cuenta de una pobreza ética que degrada sus decisiones al más bajo de los estamentos: el de la soberbia.

Sepa el señor Carrión III que serán estas acciones las que consignarán a la historia tanto sus notables carencias personales como su inseparable oportunismo. Cuando uno enfrenta la trágica encomienda pública que él aceptó como quien escoge "opciones" de apuesta en un hipódromo, las pérdidas se multiplican. Esa es la infelicidad de poseer una conciencia competitiva: una que es dúctil según las circunstancias.

4. Las huracanas en fila

Los huracanes Irma y María fueron, en conjunto, el evento principal que empujó la isla al vacío, infligiendo una herida profunda al tejido humano y a la infraestructura existente. No se trató solo del azote propio de estos fenómenos atmosféricos, sino de las consecuencias a corto, mediano y largo plazo. Ni el gobierno local ni el federal estaban preparados para las consecuencias que enfrentaron, y cada uno trató de encubrir sus negligencias. El caos se instaló en la isla y los esfuerzos por denunciarlo fueron acallados para ocultar la ineficiencia. Cada persona sintió de manera personal la soledad, la duda y la incertidumbre. El síntoma principal del malestar fue la insistencia del gobierno en declarar que solo habían fallecido 64 personas. Esta cifra, empero, no cuadraba con la realidad que muchos experimentaban. Agentes funerarios y hospitales reportaban un número mayor de muertos conforme pasaba el tiempo, pero tanto Rosselló Nevares como el presidente Trump se empeñaban en negarlo. Trump, en su consabida obstinación, acusaba a los demócratas de inflar el número para hacerlo quedar mal, a pesar de que alegadamente él procuró miles de millones de dólares en ayuda para la reconstrucción de la isla. Esto último era una soberana mentira de un presidente que llevaba años expresando su desprecio hacia los puertorriqueños.

Fue cuando investigadores de la Universidad de Harvard realizaron una encuesta, en colaboración con homólogos locales, que se reconoció un número mucho mayor de muertes estimadas: 4,645. Esta cifra luego se ajustó con otros estudios verificados con nuevos datos y la cifra se estima en unas 3,000 muertes directas e indirectas a causa de los mencionados huracanes.

¿Cómo combatir la desidia detrás de tanta infamia? Urgidos por la emergencia, los puertorriqueños se concentraron en sobrevivir en el otoño de 2017 sin electricidad, sin agua y sin carreteras. Las filas en las gasolineras eran épicas y las góndolas vacías en los supermercados irónicamente alimentaban el temor a una hambruna. Todas estas emociones se reprimieron en aras de vivir de día en día. No había tiempo para nada que no fuera vivir de día en día. Los vecinos salieron de sus respectivas guaridas para ensayar modos solidarios de resolver problemas. Se hizo lo que se tenía que hacer. Se invadieron escuelas cerradas para habilitar comedores, acopiar ropa y coordinar entregas de comida. Se limpiaron escombros, se instalaron estaciones de recarga para celulares y baterías de equipos médicos. Los jóvenes auxiliaron a los adultos mayores, las mujeres dieron muestra de quién manda cuando hay que romper las reglas para alcanzar a ver la luz del siguiente día.

Mientras en el Centro de Operaciones de Emergencia (COE), en San Juan, se instaló el gobernador con aire acondicionado e internet, los caminos y las veredas de la isla fueron despejados a punta de coraje y determinación. El caos quiso imponerse, pero se enfrentó a la tenacidad de un pueblo resuelto a no dejarse destruir del todo. En la bahía de San Juan, el barco hospital USNS Comfort atracaba para dar servicios de emergencia, aunque en realidad no los diera. Nadie sabía cuál era el protocolo para ser atendido. Su personal se expresaba frustrado de tener todos los equipos y el personal, pero estar atados a una burocracia que los limitaba. Diez pisos, capacidad de atender 1,000 pacientes y 250 camas para lo que hiciera falta, y apenas atendieron a diez personas en una semana. Nadie sabía cómo lograr acceso. Se decía que los referidos debían proceder del Centro Médico pero la información era escasa. Mientras tanto, una fila de gente se ubicaba en el muelle en espera de cualquier indicación. En este incidente particular se condensó el universo de tragedias de cada persona enferma. Sobre el trauma escribió la psicoanalista María de los Ángeles Gómez lo siguiente en el libro *Trauma, consumo y adicciones, psicosis*:

> La ocurrencia de un evento cuyas características marcan su potencial traumático no necesariamente dará paso a un vivenciar traumático, y esto tiene importantes repercusiones clínica y éticas. Cada sujeto inscribirá las ocurrencias o eventos de su vida de manera diferente, a partir de su historia y sus memorias, del lugar desde el cual ha asumido lo que le ha tocado vivir, ya partir de los recursos con los que cuenta y el momento en que los tiene que enfrentar. Por ello podríamos decir que, aunque el trauma es siempre una herida, no todas las heridas —por más intensas que parezcan—, se configuran como traumatismos ni se inscriben como traumas. Pero podríamos afirmar que las heridas que remiten a lo traumático tienen como eje las problemáticas esenciales de la vida humana: la sexualidad, la muerte, el desamparo y las propias condiciones de la existencia.

Entonces, si sumamos la ristra de eventos que acabo de resumir, caracterizados por violencias y pérdidas sucesivas, algunas materiales y otras simbólicas, se configura el escenario para una puesta en escena colectiva de todas las emociones vividas. Pero antes de llegar a eso, es obligatorio reparar en un último asunto preliminar.

Ricardo Rosselló Nevares llegó a la gobernación sin haberes profesionales significativos. Educado en buenas universidades extranjeras pero falto de experiencias de trabajo adultas, su único atributo era el ser hijo del exgobernador Pedro Rosselló González. Conquistó la atención pública con una cruzada anticolonial de la organización Boricua ¡Ahora Es! que anticipaba su ambición personal, pero más nada. En esta isla tan apegada a las dinastías familiares, tener un buen padre o madre es moneda franca para aspirar a cualquier puesto público, aunque se carezca de mérito propio. Rosselló Nevárez no fue la excepción, y enfiló el barco hacia la Fortaleza en el momento más crucial y grave de la historia. Un rostro joven y un currículum vacío fueron su carta de presentación ante un electorado dividido por la multiplicidad de candidaturas a gobernador. Su victoria fue apenas por un puñado de votos, un presagio nefasto de los acontecimientos que a la larga lo derribaron del poder.

Se habla poco de esto pero Puerto Rico es, en efecto, una sociedad de castas, donde el apellido y el color de la piel determinan los accesos al poder. Objetivamente, la isla se ubica en el tercer lugar de mayor desigualdad económica entre familias, según datos del Banco Mundial revelados por el Centro de Información Censal de la Universidad de Puerto Rico en Cayey, pero esto es solo un dato en una madeja densa de discrimen racial y de género, entre otros. El resultado de esta brecha se observa en todos los ámbitos, pero particularmente en los negocios y en la política. Ciertas escuelas, iglesias y urbanizaciones de lujo demarcan una geografía del privilegio. Quien no ostente estos carnés de membresía, tendrá el camino difícil para adelantar con soltura su carrera o su vida. Quien los posea, obtiene cierta inmunidad frente a las tribulaciones cotidianas que viven los demás, y también cierta impunidad.

Una pequeña pero poderosa muestra de esta mentalidad se puede observar el desgraciado chat de Telegram donde Rosselló Nevares y sus colaboradores más cercanos comentaban los acontecimientos del momento. El nivel de indiferencia, prejuicio y desprecio que aquellas páginas revelaron fue estremecedor. Las fantasías de control, el odio a los opositores y la burla hacía los más débiles concitaron una reacción que nadie anticipaba, pero que venía preparándose a partir de todo el sufrimiento vivido. Superiores e inmunes a cualquier reproche se sentían los participantes del chat, pensándose lejos del ojo público. Descorrido el velo de privacidad, descubrieron el límite de su ignorancia. Una canción, *Afilando los cuchillos*, de René Pérez, "Residente", condensó mucho del malestar que circulaba entre la gente. Algunas líneas expresaban de forma meridiana y cruda la tensión vivida:

> Llegó la hora, de un combo de miles en motoras
> Patrullando las 24 horas, boricua de cora'
> Con el puño arriba, a la conquista
> No nos va a meter las cabras un pendejo de Marista
> Según este compadre, mi mai junto con todas las mujeres
> Son igual de putas que su madre
> Tú no eres hijo del cañaveral, escoria
> Tú eres hijo del cabrón más corrupto de la historia
> Disculpen mis expresiones
> Pero al igual que Ricky, estoy liberando las tensiones
> Le doy fuego a la Fortaleza como se supone
> Y al otro día voy a la iglesia pa' que me perdonen

La irrupción gradual de los puertorriqueños en la calle vivió dos etapas. En la primera, se pensó que el grueso de los manifestantes eran universitarios y sindicalistas, que han sido protagonistas año tras año de las marchas en defensa de la Universidad de Puerto Rico y de la celebración del Día Internacional del Trabajo. Debe recordarse que fue la brutal represión policiaca contra estudiantes en 2010, en el recinto de Río Piedras y en la misma Legislatura, la que provocó que la Policía fuera puesta en sindicatura por el Departamento de Justicia federal. La violencia contra los derechos civiles y el desprecio hacia la juventud que ejercía su derecho a expresarse pacíficamente fueron patentes. Más tarde, en la marcha por el Día Internacional del Trabajo el 1 de mayo de 2017, la manifestación se tornó violenta, con vandalismos al edificio del Banco Popular y duras agresiones por parte de la policía y guardias de seguridad privada. Se produjeron arrestos, se radicaron cargos y los procesos judiciales correspondientes aún están por resolverse. Finalmente, la Colectiva Feminista en Construcción realizó un campamento improvisado en noviembre de 2018 para exigir al gobernador que declarara una emergencia por los feminicidios que afligen al país. En esa ocasión, éste se negó a recibirlas y les echó la Fuerza de Choque encima a las manifestantes para despejar el campamento. Burlas relativas a este incidente aparecerían en el infame chat de Telegram, confirmando la insensibilidad de la Fortaleza hacia los reclamos de la sociedad civil. De manera que muchos interpretaron las primeras protestas del verano como otro episodio como los arriba señalados: pelús, sindicalistas y feministas, una vez, más.

No obstante, con cada día que pasaba, el número de gente presente crecía y también la creatividad en los modos de expresarse. Por tanto, las explicaciones manidas eran insuficientes para recoger lo que estaba pasando. La indignación que se palpaba tenía otra intensidad y otras fuentes. A medida que la policía se acuartelaba en la Fortaleza tras sendas vallas de cemento, la gente respondía con gestos creativos y desafiantes.

Aquello que estaba pasando daba otras claves para su interpretación: comenzaba la segunda etapa. El dolor, el coraje y la rabia de todas las tragedias de los pasados tres años comenzaban a cuajarse, y la ciudadanía se mostraba ávida de participar, sin miedo a la represión ni a las consecuencias. Participar en lo que pasaba en la calle de manera multitudinaria se volvió una forma de reaccionar a tantas pérdidas personales y colectivas. Los excesos de aquellos funcionarios indolentes y cínicos fueron la llama que prendió la mecha. Con cada día que pasaba se hacía más clara una cosa: el miedo no impedía que cada día la calle Fortaleza se convirtiera en la Calle de la Resistencia, como alguien dispuso llamarle. Estos eventos no tenían referente histórico inmediato. El número de gente presente en los eventos San Juan y de enlace en el resto de la isla, las manifestaciones espontáneas en otros lugares del mundo (transmitidas por la redes sociales) y la diversidad de participantes confirmaba que se trataba de un evento inédito. Un cartel lo decía muy bien: *Hoy no somos colores. Hoy somos Puerto Rico #Rickyrenuncia.*

Estas manifestaciones callejeras ocurrieron al tiempo que otros eventos en el mundo se daban cuenta de un cierto cansancio de la democracia y las instituciones públicas. El caso más notable fue el de Hong Kong, que al día de hoy sigue volcado en las calles protestando el sesgo autoritario que China quiere imponer a la antigua colonia británica. Pero esto no se limitaba a Asia. En Cataluña, el sector independentista cuestionaba ferozmente el llamado "Procès" judicial contra los exgobernantes que impulsaron el 1 de octubre de 2017 un referéndum de independencia, considerado ilegal. De nuevo la gente tomaba la calle para reclamar el fin de la represión. Este descontento general parece continuar sin pausa. En Ecuador y Chile se produjeron masivas protestas relacionadas con la austeridad y el creciente empobrecimiento de la población con alzas en el costo de los servicios básicos. Ambos casos han obligado a reformas para apaciguar a la ciudadanía. En el caso de Chile, el asunto sigue abierto y se habla de reformar la constitución de 1980, heredada de la dictadura de Augusto Pinochet. En Bolivia, el presidente Evo Morales fue depuesto en un golpe de estado que lo obligó a refugiarse en México, en espera de que los disturbios cesen. El malestar ciudadano, entonces, es una constante que se manifiesta en todo el mundo.

En Puerto Rico, la creatividad expresada en la manifestaciones acaparó la imaginación de la prensa extranjera. Un periodista chileno me comentaba que, en su país, salir a manifestarse a la calle implicaba poner literalmente la vida en riesgo, porque la violencia era común. "¿Cómo es que ustedes cantan, pintan y bailan en medio de este caos?", me preguntaba. Mi respuesta fue sencilla: en una sociedad colonizada como la nuestra, la cultura en todas sus manifestaciones es el registro de la identidad, un ámbito en que el colonizador enfrenta la resistencia de quien se niega a adoptar los códigos que se le quieren imponer. Desde el idioma hasta el baile, los puertorriqueños en general abrazan la cultura como insignia, como portaestandarte. Si el colonialismo estadounidense reprime la individualidad y niega la posibilidad de una historia soberana, la cultura ofrece una alternativa de expresar orgullo en un registro que no está reñido con las lealtades ideológicas y partidistas. Por eso artistas y deportistas, por mencionar algunos, son considerados héroes nacionales, porque aunque no haya soberanía política hay un orgullo por aquellos que ante el mundo gritan que son puertorriqueños.

El liderato anexionista se dio cuenta de que tanta pasión en la protesta del verano de 2019 se podía interpretar como antiamericana, y así lo manifestó en los medios de comunicación. Algunos incluso la tildaron de ser una revolución que nos alejaba de la obediencia debida a la metrópoli que nos subordina.

Para interpretar las hojas del té

(5 DE AGOSTO DE 2019, *EL NUEVO DÍA*)

Cualquiera que pretenda descifrar las claves del momento que se vive en Puerto Rico deberá abandonar los viejos acercamientos y abocarse a reconocer que las reglas del juego político cambiaron. Me refiero concretamente a la manera en que los ciudadanos organizan sus valores y lealtades, y las formas en que los articulan. Desde 1948 se vivía una democracia limitada que estaba regida por partidos políticos que servían como vehículos para echar en marcha propuestas concretas de bienestar y desarrollo. Digo "limitada" consciente de que el terreno de juego fue manipulado para aniquilar al independentismo, que sufrió, a manos del Partido Popular Democrático en contubernio con el FBI, una persecución monstruosa para reducirlo a su mínima expresión. Este triste episodio estableció el piso para el bipartidismo que asomó cabeza a partir de 1968, y cuyos torpes estertores llegaron hasta la incumbencia de Ricardo Rosselló, el más breve de todos los gobernadores. Bajo este sistema de dos partidos de mayoría ocurrió una feroz competencia por acceder el poder, pero en vez de hacerlo para adelantar una agenda ideológica de beneficio colectivo, se hizo meramente para acceder al privilegio y al dinero que lo acompañaba. Solo así se entiende la decadencia evidenciada en los recurrentes episodios de corrupción en lo que va del presente siglo y la creciente frustración de la ciudadanía con este sistema que se tornó perverso en sus métodos y cruel en sus resultados. ¿Cómo entender que una exsecretaria de Educación como Julia Keleher o un exsecretario de Seguridad Pública como Héctor Pesquera devengaran salarios descomunales basados en su supuesto conocimiento y peritaje? Que pudieran servir incólumes, no empece las repetidas protestas de diversos sectores, verificó que el descaro de los gobernantes no conocía límite. Empero, un día todo se vino abajo y el miedo atávico a protestar y ser perseguido pudo menos que la rabia liberadora compartida entre muchos a son de clave y perreo combativo.

Transparencia y rendición de cuentas es la exigencia que alimenta el malestar generalizado en Puerto Rico y que el Partido Nuevo Progresista no ha sabido ni querido tramitar ante la mirada atenta de la ciudadanía. La pega que une voluntades dentro y fuera de la isla es el coraje con las malas decisiones y la pobre disposición de los gobernantes para reconocerlo. Tengámoslo claro: el sufrimiento ha sido insostenible y recorre mucho terreno, desde los muertos del huracán María hasta la universidad pública, vilmente ultrajada, entre muchos otros ejemplos. La protesta en la calle dio aliento y sentido a tanto dolor, y ofreció una ocasión para reconocerse como parte de un pueblo que grita con alegría desafiante. Esto es trascendental y solo se mitiga con acciones éticas que estén a la altura de las circunstancias. Cualquier otra cosa, y en particular aquello que recurra a la trampa y al truco recibirá un monumental rechazo.

Sí, las instituciones y las leyes ofrecen una estabilidad para superar los ventarrones ocasionales. Pero las acciones de los gobernantes —incluidos los jueces— deberán rezumar sabiduría y prudencia. Ignorarlo será a su propio riesgo.

La incertidumbre sobre el futuro aflige no solo a Puerto Rico sino al mundo también, en aspectos como la degradación climática, la falta de oportunidades económicas y la indefensión general ante un mundo que muta aceleradamente. Las manifestaciones del verano de 2019 concluyeron, pero queda latente la posibilidad de que otros excesos autoritarios de la Legislatura o la Junta de Control Fiscal provoquen una vuelta a la calle. Las propuestas reformas al Código Civil y al Código Electoral, entre otros, podrían ser los detonantes de una nueva etapa de protestas masivas. En cualquier caso, reitero que lo ocurrido en este verano combativo marca un punto de inflexión importante para la isla, uno que simboliza la indocilidad creciente de los puertorriqueños y las puertorriqueñas hacia el privilegio y el capricho. Eso en sí mismo es una conquista que promete ser firme y duradera, ante cualquier adversidad.

El perreo intenso acaba de comenzar, 2019
Garvin Sierra @TallerGráficoPR

CAPÍTULO 3

Los flamboyanes florecen en verano

Ana Teresa Toro

1. La casa

Y entonces… esto era el huracán que teníamos estacionado en el pecho. La sensación de ansiedad, angustia e incertidumbre que puertorriqueños y puertorriqueñas, dentro y fuera de la isla, experimentamos durante julio de 2019 solo puede explicarse a partir de la experiencia compartida de trauma que sobrevino no solo al paso de los huracanes Irma y María, sino al periodo de más de una década de crisis económica, migración masiva y verdadera desarticulación de cualquier noción de aquello que llamábamos "proyecto de país".

Durante años hemos asistido a las despedidas de amigos y familiares, los hemos llevado al aeropuerto e incluso los hemos instado a que se vayan, porque llega un momento en que, aunque duela, es tiempo de dejar de esperar al porvenir, ese al que, como dice el artista Karlo Ibarra, llaman porvenir porque no viene nunca. Pero la migración masiva y el desplome de la economía nacional no era lo único que estaba en el ambiente. El país llevaba a cuestas la pesadez de más de una crisis. Había una especie de tensión sostenida, un barrunto de que algo grande pasaría, como cuando las nubes contienen por horas un aguacero que quiere caer y no cae. Y una va y se prepara y agarra la sombrilla y no pasa nada, mira al cielo y está todo negro y gris, el aire denso y pesado, pero no cae una gota. Entonces una se acostumbra a esa especie de espera, a una ansiedad que, de tan sutil, se torna cotidiana. Esperar la lluvia es eso, la certeza de que algo caerá del cielo sin la certeza de cuándo, ni cómo, ni en qué cantidades. La meteorología moderna no entiende aún de tiempos de barrunto. Lo que pasa es que el agua no cae. Hasta que cae. Y entonces se parte el cielo en dos y llueve por horas.

Como hemos visto a lo largo del recorrido histórico que hacen en estas páginas Silverio Pérez (desde tiempos recientes) y Pedro Reina Pérez (desde una mirada más amplia), lo que vivimos durante el verano pasado tiene toda una red de sólidas raíces cimentada en el complejo terreno de la historia contemporánea, y no tan contemporánea, del país. Pero aun así, y con toda conciencia del nivel de angustia, asedio y malestar general que había entre la gente, no dejó de sacudirnos y de trastocar nuestro día a día. En cada hogar donde habitara un puertorriqueño, durante ese periodo del verano de 2019 no se hablaba de otra cosa. Abundan los testimonios de personas que no dormían bien, que nunca habían escuchado noticias radiales y de repente vivían pegadas a la radio, bajando las aplicaciones de las emisoras en sus celulares para no perderse el más mínimo desarrollo de las informaciones. En cafeterías, hospitales, universidades, escuelas, dependencias públicas o cualquier centro de trabajo, no se podía prestar atención a otro tema. ¿Renunció? Era la primera pregunta que muchos se hacían al despertar. ¿Me perdí algo? Era la que otros se hacían cuando la ansiedad los despertaba en medio de la noche.

Al regresar del trabajo, la rutina de aquellos días era un constante análisis político alimentado por un cambia-cambia de canales de televisión. Había un hambre general de entender, pero más que eso, una necesidad visceral de canalizar las emociones —aún sin nombre— que estábamos experimentando colectivamente. Estuvimos casi un mes en vela. Se sintió como mucho más, porque en el fondo llevamos mucho más tiempo en esa espera de que algo pase y cambie el rumbo del país.

Juntos vimos las imágenes de las protestas y muchos participamos de ellas. Entre amigos y familiares escuchamos las opiniones, forjamos la propia y encontramos los modos de ir entendiendo qué nos estaba pasando colectivamente. No hubo sombrilla en la calle Fortaleza que pudiese guarecer a los inquilinos de La Fortaleza del aguacero que comenzó a caerles encima. Y la gente, como bien documenta la extraordinaria fotografía de Fabián Rodríguez Torres (una imagen ya viral en la que dos jóvenes celebran la caída de la lluvia) y que recoge el espíritu del momento, estaba lista para que el cielo se partiera en dos y cayera lo que tuviera que caer. Así fueran llamas de fuego, como documenta a su vez la imagen histórica de David T. Díaz, que con mucha emoción hemos colocado en la portada de este libro. Esas semanas de protesta se convertirían, literalmente, en uno de esos instantes en la historia que se conocen como un parteaguas, un antes y un después, un quiebre tan necesario como inesperado. ¿Predecible? Quizás.

Como documenta el texto de Silverio Pérez, luego de los arrestos del grupo de funcionarios públicos allegados al gobernador, comenzaron a filtrarse las páginas del "chat de la infamia". Aquello pudo haberse quedado así, como un desliz más, una falta de prudencia de un dirigente, una exposición del lado íntimo de una persona pública. Pero el nervio que el contenido de aquella conversación tocó tendría un efecto expansivo en todo el país.

La noche del jueves 11 de julio de 2019, el gobernador Ricardo Rosselló regresó a Puerto Rico, tras interrumpir forzosamente sus vacaciones en España ante el aluvión de escándalos que amenazaba su imagen pública. La gente seguía en las redes sociales la ruta del avión que lo devolvería a la isla. La prensa estaba acuartelada en la Fortaleza esperando la conferencia de prensa prometida. El país entero estaba esperando explicaciones. En ese momento, no hay duda de que tanto él como su equipo de trabajo estaban preocupados sobre todo por su imagen, por cómo reparar el daño, por mitigar en la medida de lo posible el escándalo. Por nada más. Hasta ese punto es evidente —a juzgar por la serie de erráticas decisiones que el equipo de trabajo de Ricardo Rosselló tomó en el momento— que no había ni un ápice de entendimiento de lo que estaba sucediendo en el país.

A lo largo de los próximos días, Rosselló y su equipo —que ya comenzaba a desintegrarse ante la presión pública— demostrarían que carecen del nervio social que, de alguna manera, define eso que llamamos puertorriqueñidad. No lograban entender el motivo de la indignación y eso quedó demostrado en esa primera y nefasta conferencia de prensa, en la que un Ricardo Rosselló barbudo, sin corbata y con el aspecto cansado de un largo viaje, le dio por primera vez la cara al país.

Todos vimos ese primer rendimiento de cuentas en la televisión, en internet, en bares; lo escuchamos a través de la radio y lo comentamos minuto a minuto en las redes sociales. Estuvimos pendientes.

El gobernador pidió perdón, mas no ofreció disculpas. Habló de haber cometido un error y admitió que el chat era legítimo. Minimizó el daño explicando que se trataba de un espacio para "liberar tensiones" e insistió en que era un libro abierto, que no escucharía el incipiente reclamo que pedía su renuncia y, básicamente, se afianzó en su posición de que esto se trataba de una invasión de su privacidad. Olvidó así que, sobre todo cuando se trata de personas que están en su posición, no basta parecer honesto, hay que serlo. A la vez, catalogar la serie de injurias que revelaban aquellas primeras páginas del chat como un "error", y no como un síntoma de la pobreza de su carácter y del de sus principales oficiales de gobierno, le dejó claro al país que el gobernante era incapaz de comprender la complejidad de la crisis política que se le venía encima.

Esa noche de su regreso el jueves fue larga, larguísima. Y apenas se habían hecho públicas unas cuantas páginas del chat. Menos de veinte. Aunque ya se rumoraba y todos lo esperaban, nadie imaginaba, o al menos nadie tenía la certeza, de que en la madrugada del sábado 13 de julio, el Centro de Periodismo Investigativo publicaría las 889 páginas del chat en su totalidad.

Comencé a leer la entrega completa a las siete de la mañana. Fue una lectura minuciosa, tomando notas, estudiando cada frase. Me detuve muchas veces, lloré, respiré hondo, sentí rabia, dolor, vergüenza ajena, indignación, en fin, toda una serie de emociones que comienzan en el estómago y te van cambiando el semblante hasta transformar el asombro en amargura. Terminé a las once de la mañana, con la sensación de haber sido arrollada por una aplanadora. Fue una lectura brutal. Fue una confirmación de tantas cosas que habíamos leído en la entrelínea del poder. Lo sospechábamos, pero esta vez pudimos confirmarlo, ver de primera mano su modo de operar. El contenido misógino de las primeras páginas del chat me provocó una revolución estomacal que se alivia solo escribiendo. El resultado fue una columna escrita con coraje en la yema de los dedos que se publicó el domingo 14 de julio en una edición especial de *El Nuevo Día*, dedicada precisamente a la crisis política.

Gobernador, en la intimidad es que las matan

(14 DE JULIO DE 2019, *EL NUEVO DÍA*)

El gobernador de Puerto Rico, Ricardo Rosselló, dijo que él se considera un libro abierto. Lo que sucede es que los libros abiertos no tienen páginas borradas. En este caso, páginas ocultas hasta hoy, que revelan con elocuencia el compás moral de altos funcionarios del gobierno de Rosselló.

A lo largo de esta semana, hemos visto un desfile de disculpas forzadas, justificadas con una supuesta invasión a la privacidad que no les corresponde. ¿Dónde estuvieron las llamadas y disculpas directas a las personas atacadas? ¿Dónde está el compromiso de trascender los prejuicios que llevan a ese tipo de comentarios? ¿Dónde queda el tema de la corrupción moral en un gobierno asesorado por tanto fundamentalista religioso bien pagado? Piden perdón obligados a quienes "legítimamente" se hayan ofendido, colocando así la responsabilidad en el que se ofende y no en el ofensor. Llantos de cocodrilo, sin más.

Olvida el gobernador que, cuando se es no solo figura pública sino el servidor público elegido democráticamente de mayor importancia para el país, las líneas entre lo público y lo privado funcionan de manera distinta. Además, su posición lo obliga a rendirnos cuentas, tantas veces como sea necesario. No basta parecer una persona que respeta la dignidad humana, tiene que serlo.

Cuando hace unos años se revelaron vergonzosas imágenes que atentaban contra la dignidad del exsenador Roberto Arango, bien se hubiese podido hablar de una invasión extrema y mal intencionada de su intimidad. Pero aquella revelación, por terrible y dolorosa que haya sido, servía al principal propósito del periodismo: proveer información relevante a la ciudadanía para la toma de decisiones en una democracia.

El exsenador Arango se dio a conocer como una voz fuerte en contra de la comunidad LGBTTQ, a la que en su intimidad pertenecía. El electorado merecía conocer su hipocresía para tomar una decisión más informada. Ese es el precio a pagar por el privilegio de ser elegido entre tantas personas para servir al país, por el privilegio de poder hacer tanto bien desde las más altas esferas del poder, aunque, tristemente, tantos —demasiados— escojan hacer todo lo contrario. Si la actitud de Arango hacia la comunidad LGBTTQ hubiese sido otra, con quién compartiera su cama no debía importarle a nadie. Pero no fue así, y en ese contexto es que su privacidad se vuelve relevante para su gestión pública.

De modo que, si la intimidad y la esfera privada de un servidor público afectan, inciden en, o revelan sus estilos de gobernanza, es importante que sean reveladas al país. Merecíamos conocer el contenido de ese chat.

A su llegada al país, el gobernador Rosselló despachó como un espacio de desahogo y de "liberar tensiones" las ofensivas expresiones que tanto él como las personas más allegadas a su equipo de trabajo realizaron en un chat privado. Incluso se mostró molesto por lo que considera un quiebre de su privacidad, en una actitud más de maleante de cartón que de hombre de estado. Olvida el gobernador que es, precisamente, en la intimidad que matan a las mujeres.

Si en la privacidad, y en los espacios seguros que compartimos con amigos y familiares, es donde nos desahogamos y nos atrevemos a ser genuinos y a mostrar nuestra esencia, la intimidad del gobernador, francamente, es preocupante. Hoy amanecimos con la entrega final del vergonzoso chat en el que vemos incitaciones a mover personas de posiciones —o incluso a causarles problemas— por incomodidades de índole política, vemos más misoginia, homofobia, burlas de todo tipo, manipulación de la opinión pública y una constante documentación del número de asesinatos, como si se tratase de un conteo de *likes*. Cada muerto, un punto más en la encuesta de aprobación de su gestión.

Preocupa además que, así como sucede con fenómenos como Trump y Bolsonaro, si bien esta conducta será repudiada por muchos, a otros los envalentonará y en poco tiempo veremos en la calle más ataques generados por el tipo de prejuicios que la llamada Manada Azul exhibe. Lo harán siguiendo el ejemplo del gobernador y sus amigos, con vía libre y orgullosos.

Entre todo lo terrible —y con posibles implicaciones de corrupción— que se deriva de estas páginas, me quedo con un comentario de Christian Sobrino que me dejó helada. Habla en referencia a la dramática crisis que se vivió después del huracán en Ciencias Forenses por la acumulación de cadáveres. Dijo: "¿No tenemos algún cadáver para alimentar a nuestros cuervos?".

Eso hemos sido para ellos en uno de los momentos más duros y vulnerables de nuestra historia: cadáveres para alimentar sus cuervos.

Leer esta columna meses después de su publicación de alguna manera me hace revivir la profunda indignación con que fue escrita. Ese estilo, más aguerrido y furibundo, suele ser la única vía posible en momentos como aquellos. Hay instancias en la vida en que no es posible negociar las emociones, en que estar en el lado digno y justo de la historia obliga a tomar posturas radicales, o cuanto menos a evitar la peligrosa retórica de la negociación, tan común en estos tiempos en que constantemente se nos invita a aspirar a "lo posible" y no a lo justo. A la vez, el estilo responde a algo mucho más incontrolable. La calle estaba así, la gente estaba así. El coraje y la indignación colectivos te llenaban el cuarto de agua a la hora de escribir. En circunstancias así, quienes escriben no se sacan palabras del interior, más bien las recogen en el aire y simplemente las canalizan, se las devuelven al espíritu colectivo que las está bramando aun sin poderlas entender. Y es así porque una cosa quedaría clara en ese periodo: el animal colectivo que es cualquier sociedad adquiriría una voz clara y salvaje. Todos tendrían que escuchar.

Tras la publicación del chat, los días seguían pasando y los integrantes de la Manada Azul (clara alusión al conocido caso de abuso sexual de una joven española a manos de un grupo de hombres sin escrúpulos, que se hacían llamar La Manada, durante los festejos de San Fermín) se negaban, con soberbia a veces, con ignorancia otras tantas, a asumir responsabilidad por sus acciones. La bola de nieve seguía creciendo. De las decenas de manifestantes que se presentaron a protestar frente a la Fortaleza el miércoles 10 de julio —fecha en que se concretaron los arrestos del FBI a altos funcionarios del gobierno de Ricardo Rosselló—, con el paso de los días el número ascendía a los cientos y poco a poco serían miles protestando y ocupando las calles del Viejo San Juan y del país entero.

Es importante insistir en el hecho de que el gobernador y sus allegados demostraban día tras día una profunda ignorancia sobre el tejido emocional y social del país que, en total enajenación, estaban tratado de gobernar. Observar su proceder dejaba claro que se trataba de un grupo de personas que "gobiernan un país que no conocen".

Gobierna un país que no conocen
(17 DE JUNIO DE 2019, CENTRO DE PERIODISMO INVESTIGATIVO)

No me cabe la menor duda de que ninguno de los integrantes de la Manada Azul se ha enterado o ha entendido qué es lo que ha hecho mal. Me los imagino hablando entre ellos, frustrados y con la saliva envenenada, pensando que lo que han tenido es mala suerte, que los pobres de carácter son los informantes que violaron el código de muchacho de fraternidad estadounidense, y expusieron su intimidad. Me los imagino desahogándose con sus allegados y reflexionando sobre cuán hipócrita es el país porque, según ellos, todos hablamos así con nuestros amigos, todos tenemos ese tipo de chat. Pero qué equivocados están.

Día tras otro, el líder de la Manada, el propio gobernador Ricardo Rosselló, pide perdón, dice que cometió un error, que no lo vuelve a hacer. Como si lo que revelaron las casi 900 páginas de sus conversaciones electrónicas privadas con las personas más allegadas a él, dentro y fuera del gobierno, fuese algo que podríamos llamar error.

Decir error es casi decir accidente, un tropiezo, o quizás un pequeño error de juicio que se arregla rápido. Un error es algo que puede corregirse. No es el caso de lo que el país ha descubierto en los últimos días. Ricardo Rosselló, ustedes no han cometido un error, ustedes han mostrado al país la profunda corrupción de su carácter y el filtro de misoginia, homofobia, racismo, clasismo y privilegio a través del cual miran al país. Y eso, sépase, incide en todas sus acciones gubernamentales y cotidianas. No se trata de un error de juicio, o de una broma de mal gusto, se trata de la más baja corrupción del carácter. Pero sobre todo, de algo mucho más preocupante: intentan gobernar un país que no conocen.

Aquí nadie está tratando de hacerse el mojigato. Claro que los puertorriqueños decimos palabras soeces, nuestra palabra más representativa hoy —puñeta— acompaña igualmente el gozo que la pena, la rabia que el dolor. Claro que muchos hombres en la isla hacen constantemente alusiones sexistas y homofóbicas. Claro que hay racismo y clasismo y la sociedad opera desde injustos y desbalanceados privilegios. Pero sucede que, aun con todo eso por lo que hay que seguir luchando y educando, los puertorriqueños y las puertorriqueñas tenemos unos códigos, una especie de ética colectiva, un nervio vivo y sensible que ustedes han herido como nadie. Eso es lo que nos ha hecho reaccionar así, en esta enorme y abrumadora ola de indignación. De ese tejido colectivo ninguno de ustedes entiende nada, porque no son como nosotros. Podrán llamarse puertorriqueños, no soy quién para decirles que no lo son. Pero les informo que el aspecto más importante de ser parte de un país, la señal más clara de pertenecer a un colectivo, es entender en toda su abstracción y profundidad cómo opera el tejido emocional de una sociedad. ¿Cuáles son los nervios colectivos? ¿Qué nos duele a todos? ¿Cuáles son nuestros límites para el humor? ¿Qué consideramos sagrado y qué no? ¿De qué podemos bromear y qué va a provocar que todos los muchachos del corillo te digan: cabrón, te pasaste? Serán puertorriqueños si ustedes quieren considerarse así, pero no viven la puertorriqueñidad como la vive la mayoría.

Cuando vimos las burlas crueles a la pobreza, a la humildad y la dignidad de un muchacho obeso que se fajó trabajando por el partido... cuando vimos las burlas al fallecimiento de figuras indispensables de nuestra historia como Marta Font y Carlos Gallisá... cuando vimos su homofobia y su racismo, su estilo de vida hipócrita de dos caras todo el tiempo... cuando vimos expuesta su obsesión con las mujeres fuertes y de voz propia que, claramente, los aterrorizan... cuando los vimos soñar con un futuro "hermoso" en el que no haya puertorriqueños... cuando los vimos burlarse del modo más inhumano posible de la acumulación de cadáveres en el Instituto de Ciencias Forenses después del paso del huracán María, nos quedó claro a todos que ustedes llevan ya más de dos años tratando de gobernar un país que no conocen y al que, francamente, con ese compás moral jamás podrán pertenecer.

No basta con decir que estamos ofendidos e indignados, no basta hurgar hasta las últimas consecuencias en los posibles delitos que se desprendan de ese chat. Es tiempo de remover a esa clase política de muchachitos ricos que no conocen el país, que vienen a gobernar un cuatrienio y salen corriendo a llevarse el dinero y a vivir en grandes casonas en Estados Unidos, trabajando en grandes bufetes en ese paraíso libre de puertorriqueños con el que sueñan. Es tiempo de remover a estas personas que nos han demostrado lo evidente: no hace falta conocer la miseria para ser miserables.

Lo peor es que a ellos tampoco les mueve demasiado esta ola de indignación. No saben lo que es un chancletazo. Están acostumbrados a que su dinero, su privilegio, sus padres o sus conexiones los escampen pronto de los aguaceros y tormentas que dejan a su paso. Al menos, ayer en la mañana, tras las protestas, eliminaron las sombrillas de la Fortaleza. El símbolo siempre nos ha salvado, pero en esta coyuntura necesitamos mucho más.

Ahora andan por ahí, populares y penepés, echando para atrás su indignación, poniéndola en remojo, dando espacios que no hacen falta, barajeando el poder para que no se mueva demasiado. A ambos partidos les conviene que Ricardo Rosselló no renuncie. El Partido Popular Democrático se regocija ante la posibilidad de llegar a las elecciones con el pequeño y desacreditado gobernante en la Fortaleza. Oportunidad dorada para vengarse por haber tenido que cargar a un gobernador acusado en pleno periodo de elecciones en 2008. Mientras, en el Partido Nuevo Progresista, Jenniffer González y Thomas Rivera Schatz se tomarán su tiempo para pelearse por la candidatura antes de dar cualquier paso. Ninguno tiene urgencia. Que se quede ahí el payaso, payaseando, en lo que se reacomodan sus fichas. Que llene el hueco y, mientras tanto, la gente que patalee todo lo que quiera, porque están tan seguros de tener el control.

No pueden obrar de otra manera quienes no conocen la necesidad, no entienden de urgencias.

Mi hermana y su esposo, dos cirujanos que no suelen participar activamente en las manifestaciones ciudadanas en la calle, no pudieron quedarse en la casa. Salieron a marchar. Como ellos, cientos de miles de puertorriqueños y puertorriqueñas asistieron a su primera marcha. No había una bandera de partidos políticos por todo aquello. Eran banderas de Puerto Rico, en sus colores tradicionales —rojo, azul y blanco— y en su versión negra y blanca, esa bandera de luto que ha marcado los últimos años de la crisis del país. Me gusta nuestra bandera negra. En un solo color, todos los colores, un par de franjas blancas de claridad y una estrella. Un país que se acompaña en luz y en sombra, en luto y en renacimiento. Una bandera que tiene las gotas de tinta de nuestra historia, que recuerda las caras lindas que van a la raíz de nuestra identidad. Una bandera sin tonos grises, que está segura de lo justo y lo injusto. Una bandera nueva para un país que atravesó una noche larga y por fin despertó.

Mi esposo y yo fuimos a marchar. Preparé un cartel que decía por un lado: "Como el flamboyán ardiente, florecemos en verano" y por el otro: "No hay que conocer la miseria para ser un miserable". Caminamos desde Miramar hasta el Capitolio a la primera de las marchas lideradas por los artistas. Hacía un calor descomunal. De esos que te funden con el espacio. Se te acaban los confines del cuerpo. Al llegar allí tuve una certeza. Tenía que ser en verano. Los nervios colectivos expuestos, el coraje febril ante el golpe y la burla. El rostro ardiente de dolor. Las aceras hirviendo, todos los cuerpos sudando en las calles. Aquí nadie tiene miedo al calor del trabajo, a la gloriosa ebullición de la verdad.

Sabíamos que ese día se marchaba, como se seguiría marchando días después, porque siempre nos ha sido natural hablar con el cuerpo, porque en el Caribe la piel no solo siente, sino que también piensa y tiene memoria. Escribiríamos Puerto Rico con manos y pies. Se gritaría con el cuerpo colectivo que somos.

Días después, en la marcha multitudinaria que paralizó el expreso Luis A. Ferré y a la que asistieron más de un millón de personas, cayó un aguacero monumental. Todo el mundo se mojó. Uno miraba alrededor y el escenario era festivo. Muy pocos buscaban guarecerse. Lo recuerdo claro. Así lo vi:

Cae la lluvia en la calle que hierve, suena como el contacto del agua con el aceite caliente. Salir a la calle también es cocinarnos, transformarnos para podernos nutrir.

2. La calle

La furia es el único partido que nos une.
—Residente, *Afilando los cuchillos*

Y denle la bienvenida a la generación del "Yo no me dejo".
—Bad Bunny, *Afilando los cuchillos*

El 17 de julio de 2019 en la mañana, Residente, Bad Bunny e iLe lanzaron el tema *Afilando los cuchillos*, una especie de retrato de los sucesos recientes y un llamado al activismo ciudadano que se concretaría en la asistencia masiva de los jóvenes a las manifestaciones. Ese mismo día se llevaría a cabo durante la tarde una marcha contundente desde el Capitolio a la Fortaleza en la que tanto ellos como el cantante Ricky Martin (quien viajó desde Los Ángeles expresamente para participar en el evento), los cantantes Kany García y Tommy Torres, el actor Benicio del Toro y la actriz Karla Monroig, entre otros, presidirían la guagua de sonido principal, asumiendo el liderato del evento. La gente caminó cargando banderas y consignas alrededor de ellos. Si marchó algún político, lo hizo así, mezclado entre la multitud y sin ninguna posibilidad de posicionarse como líder. La gente no habría permitido que fuera de otra manera. En el ambiente estaba claro que los espacios de consenso no se pondrían en riesgo para favorecer ninguna ideología. Entrada la noche, seguían llegando manifestantes y cuando ya algunos iban de salida, otros apenas calentaban motores para llegar al Viejo San Juan.

Pero no fue hasta que llegó la caravana compuesta por miles de motoristas presididos por el Rey Charlie —un joven líder y figura conocida en las redes sociales del mundo de los amantes de los carros, motoras y *four tracks*— que esa noche, poco a poco, comenzaron a verse atisbos de las enormes dimensiones de las manifestaciones que ya trascendían la zona de San Juan y se expandían por las plazas públicas de buen número de los municipios del país.

Con Rey Charlie, interesantemente, llegaba no solo un grupo enorme de motoristas, sino una representación contundente de los barrios, residenciales y comunidades más desventajadas del país, sectores muchas veces vinculados al Partido Nuevo Progresista — uno de los dos más poderosos—, del cual el gobernador Rosselló era el máximo líder. Con las motoras y el Rey Charlie llegó a San Juan toda una cultura que, cansada del abuso, el desdén del gobierno y el agotamiento ante tanta promesa incumplida, podría decirse que había dejado de marchar.

Días después, tras las motoras llegó una cabalgata con cientos de jinetes en representación de toda la isla; otro día un grupo enorme llegó remando en sus kayaks y veleros hasta los alrededores de la Fortaleza; otros amanecieron un domingo y colocaron sus tapetes a lo largo y ancho de las calles adoquinadas y protestaron pacíficamente por medio de una clase de yoga colectiva. Parejas de recién casados bajaban de la catedral de San Juan y se tomaban fotos frente a la ya denominada "calle de la Resistencia" —la calle Fortaleza— con sus consignas, siendo el grito "Ricky renuncia" la más popular de todas. Se protestó con clases de baile, con acrobacias de telas colgantes, grupos de buzos llevaron pancartas bajo el mar, se hicieron camisetas, murales, se pintaron los rostros y se cantaron infinidad de consignas. Cada noche, a las ocho, se escucharon cacerolazos alrededor del país en lo que constituyó una inusual modalidad de protesta en la isla que nos hermana con la larga tradición de cacerolazos en América Latina. El estruendo de los cucharones contra las cacerolas era ensordecedor. A veces, en una urbanización comenzaba una cuchara solitaria dándole con un poco de timidez a una cacerola y poco a poco se iban uniendo otras hasta que se escuchaba un coro de ollas y cucharones que le recordaba a todo el mundo que lo que sentíamos como país nos dolía hasta las tripas.

Mientras, cada noche, los canales televisivos locales cambiaron el formato tradicional de transmisiones noticiosas para emular los modelos de *in medias res* que imponen las redes sociales. Los fotoperiodistas y camarógrafos, armados con sus equipos y máscaras antigases, transmitían en directo, sin filtro y sin edición todo lo que acontecía. Y la gente, en sus casas, se quedaba pegada a la transmisión, ansiosa, tratando de llegar a alguna conclusión a partir de lo que veía en esas imágenes crudas que se transmitían a ras del suelo. Casi todas las noches, las protestas culminaban con el lanzamiento de gases lacrimógenos por parte de los policías que llevaban ya dos semanas rodeando la mansión ejecutiva —muchos de ellos efectivos adscritos al Departamento de Corrección, sin el entrenamiento adecuado que establece la Reforma de la Policía para el manejo de manifestaciones—. Estaban exhaustos y sus líderes se mostraban incapaces de organizar esfuerzos coherentes para manejar las multitudes y defender el derecho democrático de la expresión ciudadana. El gobernador, como un príncipe en el destierro, pero en su propia casa, se aferraba al poder, y la gente respondía asediando la Fortaleza, recordándole a todo el mundo que ese palacio nos pertenece a todos.

Entre los múltiples intentos fallidos de atajar la crisis, el gobernador Rosselló asistió a un culto en una iglesia, lo que fue interpretado como un acto más de hipocresía del gobernante. En otra ocasión asistió a una penosa entrevista en una emisora de radio. Era evidente que cada aspecto de dicha comparecencia fue deliberado y coordinado con antelación, lo cual representó una admisión más de los estilos de manipulación y control sobre los medios de comunicación expuestos ya en el chat y que tanto daño han probado hacer a los sistemas democráticos en todo el mundo.

El interés internacional por el acontecer puertorriqueño continuó en aumento. Recibí llamadas de España, Italia, México, Perú, Colombia, Argentina y Estados Unidos para solicitar entrevistas, crónicas o columnas explicativas y de opinión acerca de la crisis. No se trataba solo de una cuestión de curiosidad, existía una conciencia de que lo que pasaba en Puerto Rico tenía sintonías y relevancias con los malestares de las clases trabajadoras alrededor del mundo. Algunos incluso comenzaron a referirse a la serie de manifestaciones con esa palabra tan compleja y apasionada: revolución. La revista argentina *Anfibia* se interesó en publicar una crónica acerca del aspecto cultural y el papel de los artistas en las manifestaciones. Se tituló "El reguetón al frente de la revolución" y despertó el interés de emisoras radiales y televisivas con las cuales dialogué tras la publicación. De norte a sur, de este a oeste, se generó interés. La crónica integra algunas explicaciones contextuales pensadas para un público internacional y se publicó días antes de que se concretara la forzosa renuncia.

El reguetón al frente de la revolución

(23 DE JULIO DE 2019, *ANFIBIA*)

En el cine, en plena función de *El rey león*, cuando el joven Simba le dice a Scar que debe abandonar el trono, todos en la sala se levantan aplaudiendo: #RickyRenuncia. En una panadería, un muchacho entra llamando a su amigo Ricky —empleado del lugar— y al segundo los clientes gritan: ¡Renuncia! En una pizzería, unos comensales esperan su plato golpeando los cubiertos contra la mesa: Somos más, y no tenemos miedo. Ricardo Rosselló, el gobernador de la isla, está acorralado por una movilización social histórica que pide su renuncia.

Hay huracanes que arrasan un país, y hay países que se tragan los huracanes y luego los devuelven. Desde el 10 de julio, Puerto Rico está revuelto y bajo un calor que aceita los cuerpos y hace mudar la piel. Gente de todas las ideologías políticas y estatus sociales marcha a diario hacia la Fortaleza para exigir la dimisión del gobernador.

Alguien dijo, no se sabe dónde, que había que marchar. Y así se hizo. Convocó a Fuenteovejuna. Si Puerto Rico era un país distinto después del paso del huracán María, la transformación que dejará este verano es una fotosíntesis sin precedentes.

La identidad nacional de este país caribeño no tiene discusión, pero su estatus político es ambiguo. Puerto Rico es un "estado libre asociado", es decir, que opera como un territorio que pertenece a Estados Unidos pero no es parte de ese país. Tiene su propia constitución y su propio gobierno, pero al no ser una república, no cuenta con presidente, sino con un gobernador elegido por el voto popular. Hay un comisionado residente en Washington que tiene voz, pero no voto.

A falta de embajadas, para los puertorriqueños son los artistas, principalmente los músicos, quienes siempre han oficiado como una especie de embajadores internacionales. Por eso se convirtieron en los líderes de esta convocatoria, la marcha más grande vista en el Viejo San Juan. Ricky Martin, Residente, Bad Bunny, iLe y Tommy Torres no vienen con canciones de protesta. O sí: traen el reguetón.

La canción *Afilando cuchillos* de Residente, Bad Bunny e iLe es hoy el himno de esta revolución. Fue el propio Conejo Malo quien bautizó a los manifestantes como la generación del "yo no me dejo", frase que ha tomado vuelo y ya está en camisetas, plenas que el público corea y pancartas. Ahora la protesta se coordina también bajo la forma de perreo colectivo, convocado para mañana: "Perreo en la Fortaleza".

***

No solo nos sacó a la calle la indignación colectiva generada por la filtración del ya famoso #Telegramgate. Es que eso ocurrió en la misma semana en que el FBI arrestó a seis funcionarios, incluidas la exsecretaria de Educación, Julia Keleher, y la exjefa de la Administración de Seguros de Salud, Ángela Ávila, quienes gestionaban, y malversaban, los presupuestos más altos del país. Por el escándalo, el gobernador tuvo que adelantar el regreso de sus vacaciones en Europa y desde su llegada está bajo asedio. Rosselló entra y sale de la residencia oficial oculto, y en las pocas apariciones públicas que ha hecho —una visita a una iglesia, una fallida conferencia de prensa y una entrevista negociada en la radio local que le costó el puesto al productor— solo ha conseguido inflamar más la llama de la rabia.

En las casi 900 páginas de las conversaciones filtradas de Telegram, Rosselló discutía con funcionarios y con contratistas externos delicados y confidenciales asuntos de política pública, y daban muestras de su visión misógina, homofóbica, racista y clasista acerca del país. A las mujeres fuertes les llamaban putas; se jactaban de tomar por tontos a los de su propio partido; imaginaban un futuro brillante en un Puerto Rico sin puertorriqueños; se burlaban de los negros, de los gordos, de los periodistas, de la orientación sexual de Ricky Martin. Pero la principal ofensa fue la del grupo tratando de mitigar una noticia sobre la crisis en el Instituto de Ciencias Forenses local. El 20 de septiembre de 2017, la isla fue arrasada por el huracán María, el más salvaje que ha pasado por el Caribe en la historia contemporánea. La cantidad de víctimas fatales fue tan grande —y el manejo del gobierno tan ineficiente— que no fue posible procesar con diligencia las autopsias. Hubo cuerpos apilados y tirados por el suelo. Las familias esperaron meses para poder darles un funeral digno a sus seres queridos. Sobre la tragedia, uno de los integrantes del chat escribió:

—¿Y no habrá un cadáver de esos para alimentar nuestros cuervos?

Los puertorriqueños y puertorriqueñas no teníamos duda de que había corrupción en el gobierno. En un informe realizado por la Comisión Europea en marzo de este año, nuestro país apareció como una de las 23 jurisdicciones de más alto riesgo por lavado de dinero. La situación ha puesto en jaque, además, el desembolso de fondos federales relacionados con la recuperación tras el huracán. Si la crisis económica —que en la isla se agudizó en 2006— había empobrecido al país, la corrupción fue la estocada final de esta agonía.

La ciudadanía nunca había tenido acceso al cuarto oscuro del poder. En estos 12 días, en cambio, el país entró a ese cuarto, encendió la luz y está desatando una revolución pacífica a través de todos los medios imaginables: a pie, a caballo, en moto, en lanchas. Hay buzos que dejan mensajes bajo agua, kayaks que rodean la Fortaleza, *strippers* y *drag queens* que improvisan performances, yoguis que protestan con asanas. Hasta un ejército de motoqueros, liderados por Rey Charlie y Residente, toma la ciudad con sus bocinas. Pintores, ilustradores, escritores y poetas también se unieron: colocan mensajes en los tickets de compras y en el arte que se dibuja en la espuma del café. Las redes sociales están tomadas: #RickyRenuncia o #AbajoRosselló.

Desde hace 12 noches, en los 78 municipios de Puerto Rico se escucha un estruendoso cacerolazo a las ocho en punto. Pero el gobernador no escucha. Sigue atrincherado en su silla, sin apoyo de su partido ni de los alcaldes, sin apoyo de Washington DC, pero sobre todo, sin país.

***

—Yo vine a ver a Ricky Martin. A Residente y Bad Bunny no, ellos también hablan malo y no me gustan.

La mujer asiste a las marchas convocada por su ídolo musical, un hombre que es mesurado en sus expresiones pero que esta vez, como el país, llegó a su límite. Mientras ella habla, el activista conocido como Tito Kayak (quien en los tiempos de la lucha por la salida de la Marina estadounidense de Vieques logró colocar una bandera boricua en la Estatua de la Libertad en Nueva York), escala el asta de la bandera estadounidense que ondea frente al Capitolio. Varias veces está a punto de resbalarse. El público reacciona con murmullos de espanto, pero finalmente logra plantar una nueva bandera donde se lee "Ricky Renuncia".

Los artistas también gritan la consigna. Piden unidad. Y a la clase dirigente le piden respeto por las minorías agredidas en el chat. Invitan a bajar las insignias partidistas y a subir la bandera puertorriqueña en sus dos versiones: la tradicional azul, roja y blanca, y la de luto que emergió con fuerza tras la quiebra y el huracán.

—¡Ricky Renuncia!

—¡Puñeta! ¡Puñeta!

Puñeta, en Puerto Rico, significa tanto goce como rabia. En este caso, es pura rabia.

***

Las abuelas dicen que cuando los árboles dan muchos aguacates son años de tormenta. El dicho popular nunca ha fallado, y en 2017 la cosecha fue abundante, arrolladora. Colgaban los aguacates pesadísimos de las ramas y algunos caían al piso, no había manera de dar abasto para recoger el fruto verde y aceitoso. Los más viejos tuvieron miedo, y con razón: llegó María y no quedó una hoja verde en pie. Todo el paisaje pelado, roto, estrujado, arrasado. María se desató sobre la isla como una bestia de agua y viento que destrozó estructuralmente a Puerto Rico —desde viviendas, puentes, edificios y carreteras hasta el colapso total de todo el sistema eléctrico y de represas— y tuvo como su saldo más dramático la muerte de 4,645 personas por causas directas del desastre natural y, peor, por el desastre político que representó la ineficiente reacción del gobierno puertorriqueño y del estadounidense.

La gente moría porque no llegaba un camión con diésel para operar una planta eléctrica en un hospital, la gente moría porque no había hielo para mantener fríos los medicamentos ni transporte para llegar a un centro de diálisis. Más de un año después, la cifra de suicidios seguía en aumento.

La migración masiva hacia Estados Unidos aumentó notablemente debido a la crisis económica en 2016. Cada semana tocaba despedir a un amigo o familiar. En diez años, la población de la isla bajó de 3.5 millones de habitantes a 3.3 millones. Que se fueron 75,000 personas por año se nota en la calle, en los edificios vacíos que hoy son íconos del muralismo internacional, en las avenidas enteras que no exhiben otra cosa que la fachada de antiguos negocios ya desaparecidos, y se nota en el rostro de la gente que ha aguantado sin quejarse. Hasta ahora.

Los puertorriqueños, que parecían tan dormidos y pasaron décadas comportándose como la única colonia feliz del mundo, han despertado a la revolución que la historia les debía. Aquí se aguantó. Se tallaron tablas para lavar ropa, se organizaron comedores, se cuidó de los vecinos, se bañaron en los ríos, se vio la diáspora, se enterró a los muertos como y cuando se pudo. Siempre ahí, en silencio, mordiéndose los labios. A nadie sorprende ver ahora cómo sale este grito de la entraña.

Quizás debimos fijarnos de nuevo en los árboles. El más abundante y emblemático en la isla es el flamboyán. Florece rojo, pero siempre niega su flor a la primavera. Solo florece en verano y luego alfombra las calles y los campos. Debimos haber sabido siempre que la primavera boricua es en verano.

***

En Puerto Rico hay hombres que van al barbero una vez a la semana, se sacan las cejas finitas y se cuadran el cerquillo de los recortes con precisión quirúrgica. Es parte de la estética del macho boricua, que tiene todo que ver con el mundo del reguetón, esa música hija de los años 90, de las fracasadas políticas de mano dura contra el crimen y "la guerra contra las drogas". En aquella década de bonanza económica en el país, gobernaba Pedro Rosselló, el padre del actual gobernador y un líder conocido por su obra faraónica — puentes, trenes, estadios— y por la institucionalización de la corrupción en el gobierno.

En aquella década, Puerto Rico soñaba en grande. Pidió ser sede de las Olimpiadas en 2004, recibió más de 200 barcos en la Gran Regata Colón 92. Blandíamos la espada de la defensa del idioma y la puertorriqueñidad y el Estado inauguraba un sistema de seguro de salud público que contaba como base con un proyecto de Bill Clinton, pero que nunca fue aprobado en el Congreso. De todos modos se implementó, y esta y otras decisiones fiscales cuestionables llevaron las finanzas públicas al desastre.

Éramos una colonia feliz. De hecho nadie usaba esa palabra, colonia, salvo lo que quedaba de un movimiento independentista mermado por la persecución política y algún que otro anexionista (el amplio grupo que favorece que Puerto Rico sea el estado 51 de Estados Unidos). En aquellos años, el estatus de Estado Libre Asociado ganaba con amplio margen cualquier plebiscito. El tener dos banderas, dos himnos, identidad nacional y ciudadanía estadounidense no incomodaba a la mayoría.

Hacia el inicio del siglo XXI, Rosselló padre salía poco a poco del panorama político —no sin antes dar unos cuantos aletazos más— y el llamado *underground* que se repartía en casetes clandestinos en barrios y escuelas lograba llegar por fin a la radio y adquiría el nuevo nombre de reguetón, una palabra que nace de la idea de un maratón de reggae. Un ritmo cuya base es, sobre todo, una mezcolanza de historias crudas y sonidos afrocaribeños pasados por el cemento, la pobreza y el calor.

Con los años, el reguetón se fue volviendo blando y pop, pero ídolos como Wisín y Yandel o Daddy Yankee siguen rompiendo récords de funciones en el auditorio más grande del país, cantando viejos hits. Aunque ahora sus exponentes vistan de diseñador, sigue siendo la música del barrio, de la esquina y de la calle; el sonido de las clases trabajadoras a todo volumen en la carretera y el de las clases medias y altas al final de sus fiestas, cuando ya todos están borrachos y poco importa el pudor.

De sus letras misóginas se apropian algunas feministas que se niegan a buscar equidad sin poder perrear. En esa dinámica opera una especie de tregua. Y así, el reguetón —junto al rap y ahora el trap— atraviesa la cultura nacional por arriba y hasta abajo. Eso sí, jamás se le había visto como música de protesta. Hasta ahora.

Ayer lunes 22 de julio, hubo paro nacional y miles de personas ocuparon la autopista principal de San Juan, y esta semana una comisión de la Legislatura determinará si comienza el juicio político contra Rosselló. Mientras, sus asesores de confianza continúan renunciando. Del futuro político en Puerto Rico no se habla: es el eterno punto de división.

Rosselló parece un príncipe desterrado: anda escondiéndose, durmiendo cada noche en algún pueblo diferente. La For-

taleza está sitiada por la gente; las calles de todo el país atesta-
das de cuerpos que hablan, piensan, sienten y tienen memoria.
Aquí los cuerpos hacen cultura, y en este verano también hacen
revolución.

3. La isla

Quizás no fue una revolución. Las revoluciones cambian el orden establecido, y tras la renuncia de Ricardo Rosselló y con ella la salida de buena parte de su gabinete, no es posible decir —sencillamente porque no es cierto o tal vez no lo es partiendo de una definición estricta— que durante el verano de 2019 se concretó en el país una revolución. Pero se le pareció, y mucho. Y el hecho de que el orden gubernamental no haya sido revertido en su totalidad no significa que lo que pasó y se vivió durante este verano no vaya a tener repercusiones a largo plazo. Incluso de carácter revolucionario. Después de todo, los procesos políticos son imparables, y si hay una cosa clara a partir de esta experiencia colectiva es que en el país hubo una especie de movimiento y desplazamiento de energías. El escenario político cambió. Y lo hizo porque hubo una evolución de conciencia colectiva en el proceso.

La mayoría de los puertorriqueños y las puertorriqueñas no lograron concentrarse prácticamente en nada que no fuera la crisis política del país durante esos días del verano. Se organizaron protestas en decenas de ciudades alrededor del mundo. Vimos boricuas marchar y manifestarse en Madrid, en Los Ángeles, en Nueva York, París, Roma, Miami, Ciudad de México, Buenos Aires, Bogotá, Lima, Santiago de Chile, Chicago, Londres, Montreal, Boston y un largo etcétera. A veces eran protestas solitarias de puertorriqueños en lugares distantes que no podían contener su deseo de participar y tomaban las redes sociales desde puntos icónicos de donde se encontraran con cartelones exigiendo la renuncia del gobernante. Otras, eran grupos de boricuas que se unían desde la diáspora para procesar las emociones que estaban viviendo. Todos coincidían en lo evidente: era una especie de recordatorio del trauma que representó el paso del huracán María. Esa ausencia de normalidad creó en el ambiente una sensación de suspensión del calendario. Así como el tiempo pos María parece "otro tiempo", el periodo del verano de 2019 se sintió como un paréntesis entre los días. Fue también otro tiempo, y lo fue porque la mayoría lo sentimos así.

Los más escépticos decían que esa tensión colectiva respondió al discurso del miedo, a la preocupación que se genera en la sociedad cuando el orden conocido queda suspenso. Francamente, difiero. Lo que subyacía a esas reacciones era algo mucho más poderoso. No era miedo, era amor. Esa incapacidad de pensar en otra cosa no era angustia, era un llamado intenso a la creatividad y al servicio. No estábamos distraídos, ni desesperados. Estábamos ansiosos a la buena, efervescentes de inspiración e imaginación. No dormíamos porque nos importaba. Todo ello eran ganas de ser y de hacer.

En 2015 publiqué un libro de crónicas titulado *Las narices de los perros* (Ediciones Callejón) que contiene un ensayo reflexivo en el que afirmo una frase que me perseguía y me angustiaba en aquella época. Recuerdo que solía decir, totalmente convencida, que "vivo en un país que no sabe que es país, y que a veces no quiere ser país".

La frase surgió de la frustración de haber crecido en un lugar que se comportaba como la colonia más feliz del mundo. Tanto así que apenas se usaba esa palabra, colonia. Pero la felicidad llegó a su final. Me hice adulta en el inicio del milenio. Entré a la Universidad de Puerto Rico en 2002 con la promesa de aquel país que conocí de niña en los años noventa y que soñaba en grande. Pero esa promesa que llegó antes de la PROMESA que mataría todas las anteriores

—o esa "vitrina rota," como la llama Silverio Pérez— comenzó a desvanecerse tan pronto empecé a dar forma a mis sueños universitarios y profesionales. Pensando en mi generación y en la que viene después, escribí este tuit que en pocas horas se tornó viral. No imaginaba cuán profundo era el nervio que estaba tocando con estas palabras: "Esta generación no creció en los 90 cuando corría el dinero, había regatas y se soñaba con olimpiadas. Esta generación nació con la crisis ya desatada y ha madurado en un país golpeado. No conoce bonanzas. No tiene nada que perder. Va a apostarlo todo y eso es hermoso".

Antes, miraba mi país y me decía: ¿será que Puerto Rico no quiere serlo? Después del paso del huracán María, esa angustia caló mucho más hondo. Recuerdo a la gente, en medio de aquella sensación monumental de abandono, sacando pequeñas banderas que colocaban en los carros y otras más grandes en las ventanas de sus casas, como queriendo decir: te veo, te reconozco, existo aún, aunque no llegue nadie y nadie nos vea. Fue el grito más silente, la reafirmación de existencia más dolorosa que había presenciado. Incluso así, la instalación de políticas de austeridad aún más agresivas y la agudización de la llamada "batalla por el paraíso", como tituló la periodista Naomi Klein su libro sobre el tema de Puerto Rico, volvieron a plantear la pregunta más incómoda de todas: ¿hay país? Una miraba alrededor, asistía a más y más despedidas de amigos y familiares que se iban definitivamente del país, se planteaba una misma con dolor si era tiempo de buscar otros rumbos, porque cada vez se hacía más difícil imaginar un futuro próspero en la isla. Y entonces había que preguntarse: ¿quedará algún Puerto Rico para los puertorriqueños?

Sin embargo, el verano pasado, mientras pensaba en ese país de personalidad dócil y amable que nos habían vendido, en esa colonia feliz y un tanto adormecida, poco a poco esa pregunta adquirió nuevos matices. No había ninguna docilidad en la reacción de la gente. Estaba naciendo un nuevo animal social. Días antes de la renuncia de Ricardo Rosselló reflexionaba sobre eso y escribí frases como esta en las redes sociales: "Lo llamaron cordero, por años fue el país pequeñín y juguetón, el que bailaba primero y defendía derechos después, el que perdonaba rápido y fácil, porque ay bendito, el país de los cuatro pisos tan extraños. Pero hemos conocido la ceniza, procesado el luto y pintado nuestra bandera de negro. Ahora ya no somos pequeños. Muerto el cordero, despierta un animal nuevo, silvestre, bailarín y juguetón, pero también indócil e incontenible. Es un adulto recién nacido, estrena cuerpo y voz. Es salvaje y anda suelto".

El 24 de julio de 2019, todos y todas en Puerto Rico y fuera de aquí esperábamos la renuncia del gobernador. Su último intento de rescatar su imagen fue una entrevista concedida el 22 de julio a la cadena estadounidense Fox News con el periodista Shepard Smith, quien, por decir poco, lo despedazó. Dejó en evidencia su absoluta falta de apoyo, la soledad total en la que se encontraba, pero sobre todo, y quizás sea lo más importante, la pérdida de legitimidad de su gobierno. Mientras más tardaba en renunciar, más profunda era la estocada al pacto social entre los ciudadanos y el gobierno como institución. Quedaba claro que su terquedad trascendería la angustia de estos días y dejaría una huella concreta en el futuro. Después de todo, los seres humanos funcionamos a partir de ficciones colectivas que decidimos creer. Acordamos que un papel tiene valor, y ahí está el dinero. Aceptamos que las empresas tengan identidad jurídica, y de repente alguien nos estafa en una corporación y no hay un ser humano al cual demandar. Sobre todo, nos unen credos y culturas. No hay forma de mantener el pacto social sin aceptar una serie de credos colectivos. El gobierno es también una de esas ficciones. Si nadie cree en él, ya no existe, y eso era exactamente lo que estaba pasando. Y si bien era el resultado natural de la crisis política y la revuelta popular, es posible interpretar este escenario desde el peligro que representa el continuo desvanecimiento de las instituciones.

En ese punto de la historia de este verano, la Fortaleza seguía sitiada, verdaderamente rodeada mañana, tarde y noche, el gobierno estaba roto y desparramado, el gobernante continuaba escondido mientras la prensa del país e internacional buscaba respuestas que no conseguía porque no existían. Si se temía que creciera la crisis de las instituciones que lleva ya décadas como tendencia mundial, ahora sería mucho peor. Con cada minuto que demoraba en renunciar, Rosselló las estaba desapareciendo.

Ese miércoles 24 de julio nadie podía estar en paz. Se habló de múltiples horarios para una conferencia de prensa. Se rumoraba, y se afirmaba en los programas de análisis, que la renuncia era inminente y sucedería durante la tarde. A las cinco estaba el país a la espera.

Pero pasaban las horas y nada. La consistente manifestación frente a la Fortaleza crecía. Esa misma noche se llevaría a cabo el "perreo combativo", donde grupos de jóvenes protestarían bailando reguetón. La convocatoria fue anunciada en la televisión por el veterano periodista Jorge Rivera Nieves, quien con la formalidad que lo caracteriza dijo en el noticiario una frase que ya es parte de las expresiones clave del verano: "El perreo intenso acaba de comenzar". Para algunos la inesperada elegancia del enunciado fue motivo de muchísima gracia, pero bien podríamos decir que legitimó una de las formas de protesta más creativas y transgresoras —sin implicar violencia física— que hubo durante la jornada de manifestaciones.

Precisamente hablando de la crisis de las instituciones, el consabido perreo se realizó en las escalinatas de la catedral de San Juan, para escándalo de algunos y goce de otros. Ya casi cuando caía la tarde, poco después de la hora en que se esperaba el inicio de la conferencia de prensa, Anthony Maceira, secretario de asuntos públicos y director ejecutivo de la Autoridad de Puertos, salió a darle la cara al país. Días antes había renunciado la directora de prensa del gobernador Rosselló, Denise Pérez, así como buena parte del gabinete. Que el director de Puertos fuera la voz del gobierno en estas circunstancias era una señal evidente de la soledad y carencia absoluta de apoyo en que se encontraba el gobernante.

Maceira indicó que se haría un anuncio público más tarde, a pesar de haber citado a la prensa, que llevaba horas, más bien días, allí esperando. No surgirían nuevas informaciones hasta entrada la noche del 24.

Con el paso de los meses han surgido rumores acerca de lo que sucedía tras bastidores durante aquellas horas angustiosas. El rumor que ha podido corroborarse por varias fuentes coloca a un Ricardo Rosselló en estado de shock, mal vestido y venido a menos en espera de lo inevitable, mientras su esposa, Beatriz Rosselló, intentaba por todos los medios convencerlo de que no renunciara. Para ello la primera dama se valdría del consejo de una mujer desconocida para los Rosselló hasta entonces, la licenciada Roxanna Soto Aguilú, conocida popularmente como la abogada motorizada, quien se convirtió de un momento a otro y en una coyuntura de tanta vulnerabilidad en persona de confianza y asesora principal del gobernador y su esposa. En este escenario y ante tales acciones erráticas, crecía la preocupación de su equipo de trabajo.

Los integrantes de la administración de Rosselló que terminarían por renunciar, luego de haber aguantado allí en la raya los días más fuertes de las protestas, lo harían precisamente por situaciones de esta naturaleza. De un modo atropellado, con el gobernante un poco en negación y sin la aprobación de la primera dama, se logró grabar el mensaje de renuncia que se difundió en Facebook al filo de la medianoche del miércoles y justo el día antes de las conmemoraciones del 25 de julio, fecha en que se inauguró el Estado Libre Asociado, estatus actual de Puerto Rico desde el 1952. Esa es también la fecha en que se recuerdan con dolor los asesinatos de los jóvenes independentistas Carlos Soto Arriví y Arnaldo Darío Rosado en 1978 en el Cerro Maravilla. Es una fecha cargada de significados históricos y de heridas abiertas en el país.

El mensaje del gobernante mostró el nivel de enajenación en que se encontraba. Rosselló trazó un resumen de éxitos de su administración cuestionables y fácilmente debatibles, y hacia la mitad del discurso —evidentemente editado— anunció que renunciaría con efectividad el 2 de agosto a las cinco de la tarde. A partir de ese momento, la mayoría de las personas que se encontraban frente a la Fortaleza dejó de escuchar el mensaje, al que muchos accedían a través de sus celulares, y comenzaron a dar gritos de victoria. Al igual que todo el país, y que tantos puertorriqueños fuera del país, yo llevaba horas esperando el anuncio, escribiendo, aún con dudas. Era julio en Río Grande, hacía calor, pero la urgencia de escribir era muy poderosa. Sobre todo porque aquella pregunta que por tantos años me había incomodado comenzaba a responderse. Había país. Nunca dejó de haberlo.

Minutos después de la renuncia, se publicó esta columna mía:

Puerto Rico ya no es el mismo país

(24 DE JULIO DE 2019, *THE NEW YORK TIMES* EN ESPAÑOL)

Por primera vez en la historia puertorriqueña, un gobernador es forzado a renunciar por la presión de los ciudadanos. Su salida se hará efectiva el viernes 2 de agosto. Fue producto de una revolución pacífica que mantuvo al país en un estado de protesta permanente durante casi dos semanas.

El escudo de Puerto Rico es el más antiguo del continente. Otorgado en 1511 por la Corona española, el símbolo mantiene vigencia y legitimidad al día de hoy. El mío es el único país que no ha cambiado de escudo pese a las transformaciones de su historia. No lo cambió siquiera tras la ocupación estadounidense en 1898. En el interior de este símbolo, aparece un cordero que representa pureza, integridad y paz. El animal sostiene una bandera blanca con una cruz roja, una señal de tregua y el símbolo tradicional de San Juan Bautista.

Sucede que, a veces, se nos va la vida en lo simbólico, y durante años esa imagen del cordero amable, dócil, noble y pasivo se instaló en el imaginario colectivo de los puertorriqueños y dio paso a una identidad vinculada con el "Ay, bendito", una frase que lo perdona todo y por todo se conmueve. No es que se tratara de un país sin ánimo de lucha, es que la historia —y sus golpes, heridas y vuelcos— había dormido por demasiado tiempo al verdadero animal social que somos: una bestia alegre, silvestre, indócil y salvaje —aún sin nombre ni rostro— que durmió una noche muy larga. Hasta ahora.

La revolución llegó con el verano. Antes, sin embargo, llegó la indignación.

El 9 de julio se comenzaron a publicar en la prensa local fragmentos de una conversación en la que el gobernador Ricardo Rosselló insultaba y atacaba a sus detractores, así como compartía información privilegiada de política pública. El contenido fue dado a conocer a cuenta gotas, en la misma semana en que fueron arrestados seis funcionarios cercanos a su administración, entre ellos la exsecretaria de Educación Julia Keleher y la exdirectora de la Administración de Seguros de Salud. Finalmente, el sábado 13 de julio conocimos, a través del Centro de Periodismo Investigativo, las 889 páginas del chat.

El contenido del documento hirió la fibra pragmática del país, la que va directamente a la relación del ciudadano con el Estado. Se trata de una fibra más fría, cerebral, una que había sido agraviada en Puerto Rico en múltiples ocasiones. En los últimos años hemos visto a funcionarios públicos, en los más altos puestos, ir a la cárcel o confrontar acusaciones o investigaciones judiciales. La gente se había indignado, pero nada nos había hecho salir a la calle de esta manera. Lo que sucede es que lo que vimos en la conversación de Rosselló, además de garantizarnos acceso a los protegidos espacios donde opera el poder, fue también un golpe muy duro al espíritu de los puertorriqueños. Para todos y todas en la isla, esto es personal.

Burlas crueles a las mujeres y a la comunidad LGBTTQ, actitudes racistas y clasistas que tocan a todos los tipos de discriminación que contiene nuestro código civil. Sobre todo, se burlan de nuestros muertos, claman por un cadáver para alimentar a los cuervos. Pero Rosselló y sus aliados se han topado con una resurrección inesperada.

Durante los pasados quince días, los puertorriqueños nos hemos tirado a la calle masivamente en la mayoría de los 78 municipios del país para protestar por la corrupción gubernamental y exigir la renuncia de Rosselló Nevares. Hoy, finalmente, luego de jornadas de rumores, horas largas de especulación y una dramática noche, el gobernador renunció. La isla había sufrido de una ansiedad colectiva que interrumpió su cotidianidad. Después del anuncio, los isleños hemos por fin respirado.

A lo largo de estos días, además de protestas a caballo, en moto, en bicicletas, en kayaks y en motos acuáticas, y hasta cientos de yoguis, todos los días hubo cacerolazos y se leyó la Constitución y la Carta de Derechos. Algunas de esas protestas se enfrentaron con golpes y gases lacrimógenos, pero la gente siguió marchando. De todas las manifestaciones, hubo tres contundentes, dos de las cuales lograron reunir en el Viejo San Juan y en la principal autopista del país a medio millón de personas cada una. Todos bajo una misma bandera, la puertorriqueña, en su versión tradicional y en su versión de luto, una bandera negra y blanca.

Para muchos, los líderes definitivos de esta revolución pacífica de verano son los milénials y la generación Z. Los primeros se hicieron adultos a principios del actual milenio, cuando el país comenzaba su crisis fiscal de 2006 y caía de manera vertiginosa hacia una quiebra de las finanzas públicas en 2016. Los segundos nacieron con el país ya roto, con las instituciones en crisis, con el fin de la idea de Puerto Rico como una colonia feliz, con una nación que parecía no tener conflictos con la ambigüedad de su condición política. Ninguno de estos jóvenes conoce bonanzas; no tienen nada que perder, van a apostarlo todo.

A este contexto se añade la experiencia traumática que vivió la isla tras el paso del devastador huracán María en 2017. En este país la gente talló tablas para lavar ropa, coordinó comedores comunitarios, cuidó vecinos, hizo filas de doce horas para cargar gasolina y conseguir hielo, vio a sus familiares migrar, enterró a sus muertos como pudo y cuando pudo. Aguantando, en silencio, mordiéndose los labios. Cuando entrevistaba a la gente más golpeada por el huracán, muchos solían decirme: "Bendito, ese muchacho, el gobernador, hace lo que puede".

Pero es evidente que Rosselló no estuvo a la altura de su pueblo.

Con la crisis se ha puesto en pausa la división ideológica acerca del futuro de la isla. Sea la estadidad —la postura que busca la incorporación del país a Estados Unidos—, la independencia o cualquier fórmula autonómica o soberanista, en este momento lo que une al país es un hartazgo por el abuso, exacerbado por un trauma muy profundo. No había forma de quedarse dormido. La bestia despertó.

La esperanza ahora es que la reorganización comunitaria que rescató al país después del huracán, y ante la respuesta ineficiente del gobierno de la isla y de Estados Unidos, comience a dar rostro y voz a este animal. Pero preocupa, sobre todo, la clara intención del gobierno estadounidense y de la Junta de Control Fiscal —una instancia impuesta por Estados Unidos en 2016— de aprovechar la crisis política para aprobar un plan de ajuste con recortes importantes a las pensiones y un robusto pago de la deuda. Esa próxima batalla será inmediata.

Los puertorriqueños y las puertorriqueñas han dado el primer paso, había que limpiar la casa. Lo próximo será repensar el país y negociar una relación más justa y no colonial con Estados Unidos. Cualquiera de las alternativas — independencia, estadidad, soberanía o mayor autonomía— debe ser considerada. Lo que ha quedado claro es que Puerto Rico ya no es, ni quiere ser, el mismo país.

Entonces resulta que no se trata de que un país quiera o no serlo, sino de que ser país va más allá de cualquier disposición del Estado. Se es país del mismo modo que se es gente, porque se es, sin más. A lo largo del siglo XX, sobre todo en la primera mitad, cuando Puerto Rico era denominado "territorio", ni siquiera "estado libre asociado", los principales periódicos y revistas se referían a la isla como "el país". Hacía mucho que la propia sociedad había determinado que existía tal cosa como un ser puertorriqueño, que la puertorriqueñidad es una cosa distinta y que dicha identidad emana de la trama social y la narrativa compartida que los nacidos en Puerto Rico han construido en torno a su realidad. Estamos tan acostumbrados a pensar que este tipo de definiciones dependen de un poder ulterior, que muchas veces olvidamos que verdaderamente de donde emanan es de la gente. Esos "poderes ulteriores" pueden optar por reconocer o no la voluntad o identidad expresada de un pueblo, pueden reprimirlo desde la oficialidad, combatirlo con adoctrinamientos y ejercicios deliberados de propaganda, pero lo que no pueden ni podrán nunca es negar la existencia de esa narrativa de país que, en el caso de Puerto Rico, ha superado al día de hoy todos los obstáculos posibles.

La renuncia forzada de Ricardo Rosselló sirvió, sin proponérselo, para ese propósito de reafirmación de identidad que trasciende incluso las divergencias en perspectivas respecto al futuro de Puerto Rico. Recuerdo haber escuchado en una de las marchas a un par de jóvenes estadista decir entre ellas: "A mí que no se me peguen los comunistas esos, yo vengo porque quiero limpiar la casa". La joven claramente se refería a los grupos independentistas que suelen convocar y liderar este tipo de protestas; sin embargo, en su enunciado hay toda una revelación. Venir a limpiar la casa implica necesariamente la conciencia de que existe una casa propia, la conciencia de un sentido de pertenencia tan profundo que genera el impulso de salir a la calle a marchar.

Como aquella joven, cientos de miles de puertorriqueños y puertorriqueñas de todo el espectro político de la sociedad salieron a exigir la salida del gobernador y fue posible lograr consensos significativos. Uno de los más importantes es la afirmación del gran interés público, sobre todo entre la juventud, en la política del país. No hay tal cosa como un país dormido y escéptico, si bien es cierto que quienes marchaban, realizando uno de los gestos más políticos que existen, que es protestar, gritaban a su vez que odiaban la política y no querían saber nada de los políticos.

Es natural. El desgaste de las instituciones produce este tipo de erosión. Y a lo mejor sea cuestión de lenguaje. No obstante, sería muy poco efectivo por parte de los políticos del momento y del futuro continuar con sus viejas mañas en estos nuevos tiempos, porque a lo que la gente siente una profunda aversión no es necesariamente al político, sino a la política sucia, de la cual ya el país ha tenido suficientes y deshonrosos ejemplos. En otras palabras, si en los próximos escenarios políticos los líderes asumen la misma conducta de siempre, si siguen recurriendo a sus fórmulas ya descubiertas, se exponen a ser encajonados bajo ese ancho y largo sello de "el político" que evoca en la gente los mismos valores que salió a la calle a repudiar.

Sucede lo mismo con la prensa, ese llamado cuarto poder. El ciudadano se mostró cada vez más activo, fiscalizador y seguro a la hora de separar el grano de la paja. Repudió las entrevistas programadas y vendidas, las supo identificar y exponer, y exaltó el periodismo comprometido y aguerrido que reveló las dolorosas verdades que encendieron la revuelta popular.

Otro aspecto y lección imprescindible de este proceso es que, en gran medida, la reafirmación de la identidad puertorriqueña trascendió la calle misma. Tras la salida de Rosselló y la juramentación de Pedro Pierluisi —a puertas cerradas y amparada en una muy ambigua y cuestionable disposición de ley— la gente, los analistas políticos, la prensa, en fin, el país entero no le quitaron el guante de la cara a la autoridad y exigieron que el asunto se manejara conforme a lo que establece nuestra Constitución. Días después, el Tribunal Supremo de Puerto Rico determinó, en una decisión contundente y unánime, la inconstitucionalidad de la ley bajo la cual juramentó Pierluisi. Ese mismo día fue juramentada la entonces secretaria de Justicia, Wanda Vázquez, a quien por orden constitucional le correspondía el cargo de gobernadora, en la propia sede del Tribunal Supremo y por la presidenta de dicho cuerpo, la jueza Maite Oronoz. Incluso, muchos de los que repudiaban los estilos de Vázquez y consideraban que su gobernación no representaría el cambio que el país necesitaba salieron a defender el orden constitucional, demostrando así que les era más importante honrar la Constitución que promover sus agendas.

Ante esta voluntad generalizada de defensa de la Constitución, quedaron muy mal parados los integrantes de la delegación del Partido Nuevo Progresista, quienes, liderados por Thomas Rivera Schatz, Johnny Méndez y Jenniffer González, intentaron impedir por medio de la intimidación que se impusiese lo que el orden constitucional establece.

A esto es importante añadir una especie de cambio o evolución de conciencia en el país. Cada vez más, el sentir de la calle se distancia de la infinidad de estrategias de negociación que los estilos de la política exigen. ¿Por qué tengo que conformarme con negociar o con aceptar lo menos malo en lugar de exigir lo justo? Esto parece preguntarse la mayoría.

Es muy cierto que, tras la salida de Ricardo Rosselló y la entrada a la gobernación de Wanda Vázquez, permeó en el país una cierta sensación de alivio. Fueron quince días de ansiedad, de una pérdida absoluta de ese sentido de seguridad, a veces falso, que nos dan las rutinas. Había cansancio y, aunque no fue lo que yo sentí, soy consciente de que muchos celebraron y hasta agradecieron ese regreso a "la normalidad". Pero quien crea que estamos ante un retorno a cualquier cosa, se confunde o probablemente no salió a la calle.

Puerto Rico no solo dio una lección de dignidad y del mejor ejercicio posible de la ciudadanía a nivel mundial, sino que atravesó un proceso de madurez del cual no hay retorno. Como cuando se descubre una verdad dolorosa, por más que queramos no podemos borrar de la conciencia aquello que ya hemos visto y vivido. Está ahí y es imborrable.

En los meses siguientes hemos visto también cómo la historia que vivió Puerto Rico encuentra resonancias a nivel mundial. Lo vemos en Tokio, en Chile, en Haití, en España, en Brasil, en Ecuador, lo vimos antes en Francia y lo seguiremos viendo alrededor del mundo. Los procesos históricos no ocurren en el vacío, y mucho menos en un estado de aislamiento total.

Por estos tiempos se discute, y se vive, la llamada crisis de la democracia. Hay países, como Brasil, en los que incluso se habla del posible desarrollo de una democracia fascista, concepto impensable décadas atrás. La hazaña puertorriqueña se enmarca a su vez en ese contexto, pues la condición colonial del país —subrayada recientemente por una serie de decisiones del Tribunal Supremo de Estados Unidos y por la imposición de la Junta de Control Fiscal bajo la ley conocida como PROMESA (Puerto Rico Oversight Management and Economic Stability Act)— nos coloca como protagonistas de una crisis democrática con la más profunda raíz. No obstante, las manifestaciones del verano de 2019 dan cuenta de una cultura democrática sólida y efervescente que tarde o temprano tendrá que ser reconocida, pues su legitimidad emana del único lugar de donde emana la democracia: la calle, la gente, la misma que ya no tiene miedo, porque tiene bien claro que siempre, siempre, hemos sido más.

Después del grito

Hay veces que lo urgente se impone a lo importante, pero esta vez es diferente: no está en juego una mera ideología, sino la supervivencia misma de Puerto Rico. Esta coyuntura que afronta Puerto Rico, cuando la ciudadanía ha alzado la voz como nunca antes para exigir acciones concretas, es urgente e importante a la vez. La razón es sencilla: está en juego el bienestar de muchos, y la credibilidad de los gobernantes. Si, como hemos descrito en estas páginas, nos quitaron tanto que ya no tenemos miedo, el imperativo ético es dar continuidad a las acciones emprendidas por la ciudadanía para que la energía pase de la protesta a la propuesta. Sin embargo, eso no quiere decir que no vaya a ser necesario regresar a la resistencia para reclamar acciones puntuales que demuestren que, en efecto, continuamos vigilantes. Al parecer, se siguen acumulando indicios de que algunos simplemente no entendieron, y habrán de atenerse a las consecuencias de su temeridad.

La pregunta que nos asedia sigue siendo: ¿cómo vamos a salir de esta larga lista de crisis que golpean a diario la isla? Ya no se trata solamente de quién ocupa la Fortaleza, sino de cómo se ejerce el poder y con qué fines. Hay razones de sobra para estar atentos. La Legislatura da señas de querer abordar las reformas del código civil, el código electoral y el código municipal. Tras la dimisión del gobernador Ricardo Rosselló Nevares, Thomas Rivera Schatz, presidente del Senado, asumió también el liderato del Partido Nuevo Progresista bajo una enorme pancarta que prometía "orden y dirección". Este discurso apunta tanto al autoritarismo como al oportunismo. En noviembre de 2019 se amenazó con bajar al pleno por descargue los tres mencionados códigos, sin un informe de la comisión que los tiene asignados para evaluación y discusión, a pesar de que tienen 391 páginas (el electoral), 581 páginas (el civil) y 1,115 páginas (el municipal). Cada uno de estos encierra cambios que han sido señalados como controversiales. Solo cuando se alzaron voces como la del cantante Ricky Martin para denunciar esta deriva autoritaria fue que se pospuso su votación. Todo lo anterior apunta a un renovado afán por subvertir la exigencia de rendición de cuentas que estaba en el centro de las protestas del verano.

¿Puerto Rico ha dejado de ser promesa de futuro para las nuevas generaciones? La respuesta a esta pregunta es crucial, porque sin una renovación verdadera en las instituciones, es imposible recuperar un mínimo de confianza entre los más jóvenes. Es indiscutible que el liderato espontáneo de las protestas del verano correspondió a los jóvenes, y en particular a las mujeres. La imagen de un grupo de féminas vestidas de negro, sentadas ante una valla de cemento y con la boca tapada por una cinta gruesa en la que estaba inscrita la palabra "renuncia", fue de las primeras en recorrer las redes sociales. Y no fue casualidad. Toques de bomba con mujeres bailando, cargando en brazos a sus hijos e hijas, fueron ejemplos contundentes de una militancia vital y urgente. Son ellas las que defienden el patrimonio de su descendencia, el mismo que sigue amenazado con el cierre de escuelas y el encarecimiento de servicios básicos, entre ellos el de la universidad pública. El futuro exige cambios en todos los niveles para apoyar a la presente generación, detener la fuga de gente y garantizar a los adultos mayores un mínimo de bienestar.

Parte de lo que debería acontecer es una renovación de la clase política y sus fueros. Una pancarta vista en la calle decía: "Un país que pretende crecer no puede tener los políticos más caros y los maestros más baratos". Si Puerto Rico ha de evolucionar, habrá que eliminar la política como forma de vida privilegiada. Entre empleados fantasmas, batatas silvestres e hijos talentosos se malgasta demasiado dinero, y se compromete el porvenir. La renovación es imperativa.

¿Hay país? La respuesta es un resonante sí. Aunque haya quienes en su inmensa enajenación lo nieguen, el clamor ciudadano confirma que hay voluntad y tesón para cambiar las cosas. Eso no quiere decir, sin embargo, que el asunto sea simple. Para abordarlo hay que poner en remojo las lealtades partidistas y atreverse a pensar fuera de los moldes tradicionales. Eso implica identificar nuevas caras y nuevas voces que asuman los desafíos. Ese es el deseo. Los acontecimientos del verano, y las posteriores asambleas ciudadanas, permitieron columbrar el contorno de este nuevo país que ahora debe desarrollarse y crecer. Hacia ese nuevo horizonte enfilamos nuestra energía y empeñamos nuestros esfuerzos individuales. Acaso convenga recordar aquel poema de Luis Palés Matos, "El palacio en sombra":

Tu vida es una lámpara colgada
del árbol sabio de la sombra; en ella
se consume el aliento de otras vidas
que prolongan su ingénito motivo
sobre la forma actual, y perpetúan
la fuerza de su enigma alucinante
en el ser que será. Las existencias
pasadas y futuras, lo que el ego
ha de ser, siempre estuvo en tu substancia,
esperando el momento en que tu carne
fuera un gran vaso de cristal sonoro…

Es cierto, cual vaso resonante en la hora cumbre, ya no somos los mismos. Somos más, y no nos detiene el miedo.

Sobre los autores

Silverio Pérez es escritor. A lo largo de su nutrida trayectoria se ha destacado también como músico y compositor, guionista, conferenciante, documentalista y anfitrión de programas de radio y televisión. Entre más de una decena de libros diversos, sus publicaciones más recientes son la novela *Un espejo en la selva* (Planeta, 2016), el libro de reflexiones históricas *La vitrina rota o ¿qué carajo pasó aquí?* (Callejón, 2017) y el libro de memorias *Solo cuento con el cuento que te cuento* (HMTV Media Libros, 2018). www.silverioperezpr.com

Pedro Reina Pérez es historiador y periodista. Además, es catedrático en la Universidad de Puerto Rico, recinto de Río Piedras, y colabora como analista en prensa, televisión y radio. Entre sus libros se destacan *Gabriel Bérriz: Poeta del paisaje* (Universidad Católica de PR y fist_Art, 2014), *Historias majaderas: Diez años de escritura periodística* (Bembetea, 2013) y *La semilla que sembramos: Autobiografía del proyecto nacional* (Cultural, 2003). www.pedroreinaperez.com

Ana Teresa Toro es periodista y escritora. Es autora de la novela *Cartas al agua* (La Secta de los Perros, 2015) y los libros de crónicas *Las narices de los perros* (Callejón, 2015) y *El cuerpo de la abuela* (Instituto de Cultura Puertorriqueña, 2016). Su obra forma parte de antologías en México, Venezuela, Argentina, Colombia, Estados Unidos y Austria. A fines de 2019 publica *Un cuerpo propio: 40 años de Taller Salud* y el libro en formato de entrevista *Vida, Patria y Verdad: Alejandro García Padilla en conversación con la periodista Ana Teresa Toro* (Gaviota).

marullo
el podcast

Marullo es un podcast semanal interesado en la energía creativa y desafiante que se desató en el gran Puerto Rico tras el paso del huracán María. Cultura, música, historia y humor. Presentado por Silverio Pérez, Ana Teresa Toro y Pedro Reina Pérez.

DISPONIBLE EN:
Spotify
Apple Podcast
Google Podcast

Impreso en Estados Unidos
en diciembre de 2019

Made in the USA
Middletown, DE
22 December 2019